# 作　者　介　绍

杨红樱，四川省作家协会副主席，曾做过小学老师、儿童读物编辑和儿童刊物主编。

19岁开始发表儿童文学作品，现已出版童话、儿童小说五十余种。已成为畅销品牌图书的系列有：《杨红樱童话系列》、《杨红樱校园小说系列》、《淘气包马小跳系列》、《笑猫日记》系列。其作品总销量超过5000万册。

曾获中宣部“五个一工程”奖、中国出版政府奖图书奖、中华优秀出版物图书奖、全国优秀儿童文学奖、冰心儿童图书奖等奖项。

作品被译成英、法、德、韩等多种语言在全球出版发行。

在作品中坚持“教育应该把人性关怀放在首位”的理念，在中小学校产生了广泛的影响，多次被少年儿童评为“心中最喜爱的作家”。

《笑猫日记》系列，获第二届中华优秀出版物图书奖，连续三次荣获全国年度最佳少儿文学读物奖，《笑猫日记·那个黑色的下午》获第二届中国出版政府奖图书奖。

马小跳的表妹杜真子有一只猫，他会笑。还记得吗？

杨红樱 著

笑猫日记

明天出版社

# 虎皮猫，你在哪里

Hupimao Ni Zai Nali

目录

寂寞的日子里，
没有一点关于虎皮猫的消息。
为了找到她，
我爬上了高高的旧烟囱。
然而，
难道真是她把我狠心地推下?

绿毛龟说，

每天，

在那座红顶别墅的尖顶上，

总有一只虎皮猫在发呆。

她就是我心中的

虎皮猫吗？

别墅中的那只虎皮猫，
眼睛里总是充满了自卑和忧郁。
她不是我心中的虎皮猫，
却是一位天才的画家。
在那个充盈着露水气息的早晨，
大家都赶来观看她的画展。

那祈福的钟声，
把我们引向了古老的钟楼。
我心中的虎皮猫，
已成了一只敲钟的猫。
她那美丽高贵的身影、
她那悲天悯人的情怀
和她被钟声震聋的耳朵，
都令我悲喜交集……

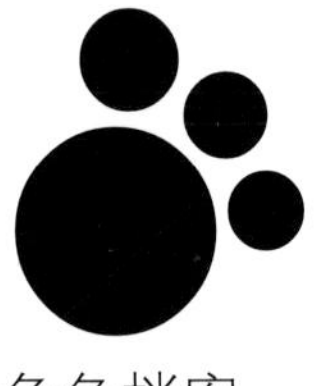

# 角色档案

# 我心中的虎皮猫

## 性格特征

这是一只超凡脱俗、心中有信念的猫。爱上她，便注定了我的恋爱会很辛苦。我历尽千辛万苦，终于在一座钟楼里找到了她。然而，她已成了一只敲钟的猫。每个黄昏，她都会为人们敲响祈福的晚钟，她的耳朵却被钟声震聋了。

# 笑猫

## 性格特征

很多的心情，这只猫都是用笑来表达的。他会微笑、狂笑、冷笑、狞笑、嘲笑、苦笑，还会皮笑肉不笑。笑猫是一只有思想的猫，相信性格决定命运。他喜欢观察人，也能听懂人说的话。

## 最爱的人

一个是杜真子，另一个是马小跳。

## 性格特征

这只来路不明、活了成千上万年的老乌龟，到大山深处的一眼温泉里呆了一阵子后，龟背上居然长出了一堆郁郁葱葱的青草。这些青草很细很细，就像柔软、细长的绿毛。他沉稳而有智慧，是一个思想家。

淘气包

# 马小跳

## 性格特征

心里有话不说出来会憋得难受，但有一个秘密他不会告诉任何人，那就是他在上幼儿园时，曾经狂热地崇拜过他现在的同桌冤家。他对朋友赤胆忠心，却经常遭到朋友的背叛。他大错不犯，小错不断，站办公室的时候垂头丧气，出办公室的时候欢天喜地。他最怕笑猫对他冷笑。

## 兴趣爱好

太多。常变。唯一不变的是对弱小动物的热爱。

# 红顶别墅里的虎皮猫

## 性格特征

虽然她的外貌跟我心中的虎皮猫几乎一模一样，但她却十分自卑。自卑导致了她性格孤僻，多疑，易怒，攻击性很强。

## 性格特征

红顶别墅里的一只美丽活泼的波斯猫。她热情奔放，喜欢帮忙。一大帮波斯猫兄弟都在追求她，可她只对笑猫有好感。

疯丫头

# 杜真子

## 性格特征

她和表哥马小跳见面会吵架，分开会想念。她是一个长着一张猫脸的“小女巫”，是笑猫在这个世界上最爱的人。她会成语接龙，会演白雪公主，还会做土豆沙拉。她可以把男孩子们指挥得团团转，让他们都崇拜她。

## 兴趣爱好

天天和笑猫呆在一起。

宠物医院里年轻的大夫。高大而英俊的他爱小孩子，爱动物，还弹得一手好吉他。

## 裴帆哥哥

安静
!

# 造纸厂的高烟囱

**这一天** 天气：立秋之后，虽然还是热，但不再闷热。天空变得更高，更蓝。许多自由的云朵飘移在一起，聚成厚厚的、巨大的云块，然后又自由地分开，各奔远方。

关于虎皮猫的线索，前前后后加起来已经有二十几条了。老老鼠还在源源不断地将一些大大小小、胖胖瘦瘦的老鼠往我跟前带，他们都是来给我提供线索的。

“老老鼠，拜托你别再给我找线索了！”我苦恼万分，“现在，线索不是太少，而是太多。一团乱麻！我都不知道按哪条线索去找虎皮猫。”

“以前的线索全部作废！我们现在就按这条线

索去找。”老老鼠回头叫道，“老秃！老秃！”

一只秃尾巴老鼠不知从什么地方钻了出来，站在我面前，那样子鬼鬼祟祟的，也不敢看着我。

“啧啧啧，看你们猫把我们老鼠吓的！——老秃，你别怕！笑猫老弟是我多年的老朋友。你告诉他，你是在什么地方看见虎皮猫的。”

老秃偷偷地看了我一眼：“在一个很高很高的地方。”

“有戏！”老老鼠在我的耳边说，“你第一次看见虎皮猫，不也是在很高很高的塔顶上吗？”

强力壮，可你也要体谅体谅我们两个—— 一个年老，一个体残。”

老老鼠接着又叫老秃去找点吃的来。我叫起来：“这还没到吃晚饭的时间！”

“我和老秃都有喝下午茶的习惯。”老老鼠不慌不忙地说，“如果不是为了你，我现在正用生日蛋糕当茶点呢。”

我问老老鼠：“你还记得你的生日？”

“我记我的生日干什么？只要有生日蛋糕吃，就每天都是我的生日。”

“你的生日蛋糕肯定都是来路不明的。”

“但也不是偷的。”老老鼠说，“我不敢说我是最优秀的老鼠，但我敢说我是最勤快的老鼠。每天早晨，我总是第一个光顾垃圾箱。隔三岔五地，我就能捡到一个生日蛋糕，虽然残缺不全，但都是装在漂亮盒子里的蛋糕，厚厚的奶油上还插着生日蜡烛呢。”

老秃不知从哪里弄来半块油乎乎的饼子，分了一半给老老鼠。老老鼠摇摇头，叹着气：“唉，笑猫

老弟，你看，为了你，我的下午茶都降了 n 个档次。”

我心里只盼着快点儿见到虎皮猫，哪有心思听这些废话？

“快吃，快吃！吃完了好赶路。”

“笑猫老弟，你迫不及待地想见到虎皮猫的心情，我和老秃都理解，但你也不要急这么一小会儿。你还是耐心一点儿，让我们从从容容地喝完下午茶吧！”

老老鼠一辈子都向往优雅的生活，他硬要把那块脏兮兮、油乎乎的饼子说成是下午茶的茶点，我拿他也没办法。

老秃还是有点怕我，他看我的眼神总是躲躲闪闪的。

“笑猫老弟，你知道老秃的尾巴是怎么变秃的吗？”

我笑道：“是不是在人家的菜板上偷腊肉，被人家用菜刀砍断的？”

“不是砍断的，是被你们猫咬断的。”老老鼠说，“你看，我们老鼠对你们猫是多么宽宏大量！老秃不仅没

有记猫的仇，还这么热心地帮你……”

老老鼠和老秃终于慢条斯理地喝完了他们的下午茶，我们又上路了。还是两只老鼠在前面跑，我在后面追。一路畅通无阻。

我们终于来到了那家废弃的造纸厂。

从遍地长着的半人高的荒草就可以看出，这家工厂已经停产好长时间了。厂区里，有几幢厂房还没有被拆除，许多流浪狗和流浪猫就在这里安家落户。如果他们一旦发现了老老鼠和老秃，这两只老鼠不被他们生吞活剥了才怪。幸好我们藏身在又高又密的草丛里。

那座高烟囱就耸立在厂区的中央。以前，从这座烟囱里冒出的黑烟严重地污染着这座城市。

“就是这座高烟囱。”老秃说，“我就是在烟囱上遇见虎皮猫的。”

一想到那么高贵、那么优雅的虎皮猫，如今却沦落到这座脏污的烟囱上，我就心痛万分，因为只有翠湖公园的白塔才配得上她啊！

虎皮猫并没有在高烟囱上。我问老秃："虎皮猫呢？"

"我怎么知道？"

"你不知道？那你把我带到这里来干什么？"我一把抓住老秃，把他从地上提起来，"你想耍我吗？"

老老鼠在一旁朝我翻白眼："笑猫老弟，你这么说话，我就不爱听了。我和老秃冒着生命危险，陪你来找你的心上猫。虎皮猫明明长着四条腿！她这会儿不在烟囱上，怎么就能说是老秃在耍你呢？"

"虎皮猫昨天在烟囱上呆了好长时间呢。"

我看烟囱那么高，心想老秃未必看得清楚烟囱上的东西。

"老秃，你能确定是一只虎皮猫吗？"

"我离那只虎皮猫很近，看得很清楚。"老秃说，"昨天，我正在烟囱上晒太阳，没想到不声不响地来了一只猫。那只猫没有扑我，也没有抓我，我们对视了至少有两分钟。我知道我不是猫的对手，便知趣地离开了。我看得很清楚，那的确是一只虎皮猫……"

“眼睛是不是绿的？”

“是。绿得亮闪闪的。”

“尾巴上是不是有环纹？”

“是。一圈一圈的。”

“那只虎皮猫看起来是不是很高贵，很优雅？”

老秃愣了一下，马上又点头：“那只猫没有抓我，也没有扑我，这应该就是高贵，就是优雅。”

可以肯定，老秃看到的这只猫，就是虎皮猫。

“笑猫老弟，快看烟囱口那里……”

一只猫背对着我们爬上了烟囱口。在夕阳下，那只猫来了一个华丽的转身……

我的心怦怦地跳了起来。

# 星空下的惨案

## 这天晚上

天气：立秋以后，才有了真正意义上的晚风。繁星满天，犹如在黑天鹅绒般的夜空中，镶满了亮闪闪的钻石。

“啊，真的是虎皮猫！”老老鼠扭头看到我快要窒息的样子，忙问，“笑猫老弟，你没事儿吧？”

我两眼发直，刚才还怦怦直跳的心仿佛也停止了跳动。这也许是因为思念太久，也许是因为久别即将重逢。

我就这样痴痴地望着烟囱上的虎皮猫，就像我以前在翠湖公园的那个落满梨花的草坡上，痴痴地望着塔顶上的猫一样。

虎皮猫的身后，是滚圆的落日。落日被一片绚丽的晚霞簇拥着。当天边只剩下最后几缕晚霞时，高烟囱上的虎皮猫被衬托成一个美丽而孤独的剪影。

不一会儿，这个美丽而孤独的剪影，也随着最后一缕霞光的消失而看不见了。

我还痴痴地望着烟囱口。

“笑猫老弟，你的心上猫找到了，我和老秃也该回去了。”

我没有理会老老鼠。

“你在看什么呢？难道你要一个晚上都这么看着烟囱吗？笑猫老弟，你为什么不爬到烟囱上去找她呢？”

“我上得去吗？”

我想起了翠湖公园的白塔。除了虎皮猫，没有谁能爬上那座塔。

“那是烟囱，不是白塔。老秃都能上去，你当然能上去。”老老鼠叫住了已经跑远的老秃，“老秃，回来！麻烦你把笑猫老弟带到烟囱上去。”

“我还没吃晚饭呢。”

“是你的晚饭重要，还是笑猫老弟的事情重要？”

我相信老秃一定在心里说，他的晚饭重要。只因老老鼠在鼠界的威望太高，老秃不能违抗他的命令，所以老秃尽管心里不乐意，但还是带着我们向烟囱走去。

老秃熟门熟路。看得出来，他经常来这里。

“在遇到那只虎皮猫之前，这座烟囱几乎就是属于我的。我天天在烟囱上晒太阳。”老秃突然讨好地对我说，“我希望你马上和虎皮猫结婚，最好在今天晚上就结婚，然后你把虎皮猫带回翠湖公园。”

我终于明白了，老秃肯给我提供线索、肯带我到这里来的原因，根本不是像老老鼠说的那样。所谓“老鼠对猫宽宏大量”，所谓“老鼠对猫的无私奉献”，都不过是好听的借口罢了。老秃真实的目的，是想重新把烟囱占为己有。

我们来到了烟囱下面。两只老鼠不肯再陪我上去。

“笑猫老弟，我祝你幸福！”

我相信老老鼠对我的祝福是真诚的。

“我等着你的好消息！”

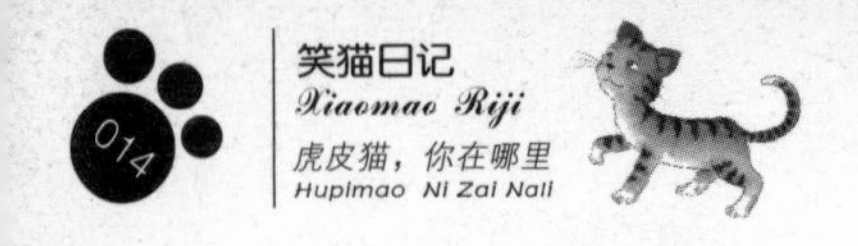

我心里明白，老秃是另有所图。

两只老鼠很快就消失在夜色里。

爬上高烟囱，比我想象的容易得多。我几乎没花什么力气，就爬上去了。

虎皮猫被满天的星星包围着。从前在翠湖公园，她也总是在有星星的夜晚，整夜地呆在塔顶上，和星星们在一起。

现在，虎皮猫和我近在咫尺。我轻轻地走到虎皮猫的身后。星光下，虎皮猫背部的线条是那么优美。我又听见了我的心跳声。

我的心中充满了柔情，想慢慢地靠近虎皮猫。我深情地叫了一声，虎皮猫猛地一回头，我还没来得及看清虎皮猫的脸，就被推下了烟囱。

“啊——”

那烟囱至少有几十米高。我的惨叫声凄厉而悠长，随着我的落地又戛然而止。

我觉得自己快要死了。

# 不是女猫，是男猫

## 第二天

天气：立秋之后依然酷热的天气，被人们称为“秋老虎”。“秋老虎”火暴的脾气，我今天算是领教了。

我是被老老鼠和老秃用凉水浇醒的。醒来后，我才发现自己趴在一堆乱石中。

“我怎么会在这里？”

“我正想问你呢。”老老鼠说，“你为什么没有跟虎皮猫在一起？”

说起虎皮猫，我才慢慢回忆起昨天晚上发生的事情。

“不会吧？”老秃居然不相信我说的话，“那只虎

皮猫对我都那么客气，怎么会对你这么狠心呢？”

“笑猫老弟，你再仔细地回忆回忆。会不会是你自己从烟囱上摔下来的？”

我又仔细地回忆了一遍。千真万确，是虎皮猫把我推下来的。

“虎皮猫那么快就把你忘记了？让我算一算……”老老鼠眨巴着眼睛，“你们相识在春天，现在夏天才刚刚过去，虎皮猫就……”

“别说了！”

我心如刀绞。这时，我才发现自己已经站不起来，我右边的后腿受伤了。

“可怜的笑猫老弟！你一心想找到虎皮猫，结果却是这样的。唉——”老老鼠似乎很同情我，“腿很痛吗？”

应该说，我的心比我的腿更痛。我摇摇头，什么都没说。我心中的痛苦，老老鼠是不会懂的。

最失望的是老秃。本来，他今天是来收复失地的。他以为我会把虎皮猫带走，他又可以重新独占烟

囱。没想到，我却被推下了烟囱。这不是要他死心吗？

老秃不甘愿死心。他又爬上了烟囱。过了一会儿，他从烟囱上面下来了："虎皮猫还在上面，可是，我有一个重大的发现……"

老秃看看我，又看看老老鼠，好像肚子里憋着什么话，却又实在说不出口。

我忍痛支起身子："快告诉我！你发现了什么？"

"你要先答应我，你不生气，我才告诉你。"

我心急如焚，连说："我不生气！我不生气！我不生气！"

"那只虎皮猫，不是女猫。他跟你一样，是男猫。"

"老秃，你怎么搞的？怎么会出这么大的差错？是男是女都看不清楚！"老老鼠显然很生气。

"真的不怪我。"老秃十分委屈，"我从来就只敢远远地看看那只猫。唯一离那只猫很近的那次，也被吓得很快就跑了。我哪里看得清那只猫是男猫还是女猫？"

老秃说得没错。就连我都没分辨出那只虎皮猫是男猫。这也的确不能全怪老秃。

老老鼠还是不放心："是男猫还是女猫，还得我亲自上去看了才能确定。"

"你这么老了，能爬上去吗？"我有些为老老鼠担心。

老老鼠拍拍胸脯："为了你笑猫老弟，就是搭上我这条老命，我也在所不辞！"

老老鼠鼓起腮帮子，运了一口气，然后雄赳赳、气昂昂地爬烟囱去了。

我把两只前爪合在胸前，在心里默默祷告："但愿是男猫！但愿是男猫！"

过了好一会儿，老老鼠才回来，一脸痛苦不堪的表情："笑猫老弟，有个不幸的消息要告诉你。你一定要挺住啊！"

"我挺得住！"

"那只虎皮猫，真的是一只男猫。"

我抓起老老鼠，把他举起来："你确定吗？"

"千真万确。"老老鼠哭丧着脸，"笑猫老弟，你

别太伤心！”

我心里一阵狂喜，禁不住哈哈大笑。

“笑猫老弟！笑猫老弟！唉——”老老鼠长叹了一口气，对老秃说，“他伤心过度，已经精神错乱了。”

“我真的很高兴！”我说，“幸好烟囱上的那只虎皮猫，不是我心中的虎皮猫。”

如果烟囱上那只那么狠心、那么无情地把我推落下来，让我摔成这样的虎皮猫，真的是我心爱的虎皮猫，那么我活在这个世界上还有什么意思？

心不痛了，我才感觉到被摔伤的腿痛得要命。我站不起来，这条腿恐怕是骨折了。如果我能回到翠湖公园里的秘密山洞，那么马小跳他们一定会把我送到那个专门给狗、给猫治病的裴帆哥哥那里去治好我的腿。可是，我现在根本回不去。

“笑猫老弟，我现在就去想办法。等到夜深人静时，我一定把你救回翠湖公园。”

眨眼间，老老鼠和老秃便消失得无影无踪。

这时已经是中午，头顶上的太阳正毒，烤得我的

全身像着了火似的。身旁的那堆乱石，也被烤得滚烫。立秋之后的炎热天气被人们称为“秋老虎”。现在，我终于领教了“秋老虎”的火暴脾气。

那堆乱石已经烫得如正在燃烧的炭块，仿佛要把我烤熟似的。我又饥又渴又热又痛。其实，在离我不过几米远的地方，就是半人高的荒草丛，只要我能藏身在草丛里，再毒辣的太阳，我也不用害怕。可是，我一点儿也动弹不得，爬不过去啊！

我还看见离我不到一米远的石缝里，有一个矿泉水瓶子，瓶子里面还有小半瓶水。对我来说，这就是救命的水啊！可是，我够不着，只能眼睁睁地看着。

我已经奄奄一息，但是我心中求生的欲望从来没有像现在这么强烈过。我不能死！我还没有找到我心中的虎皮猫，我还没有告诉她，我爱她。

我相信是我心中的信念战胜了死神。心里只要想着虎皮猫，我便忘记了渴，忘记了饿，忘记了热，忘记了痛。

老老鼠还算讲信用。天黑下来没多久，他就和老秃来了。他们带来了一块男孩子们现在最喜欢玩儿的滑板，滑板上还放着一包食物。

老老鼠把滑板推到我跟前，突然有了惊喜的发现："我偷这块滑板时，只想把它当成一张活动的床。我完全没想到，它还可以是一张活动的餐桌。笑猫老弟，你是知道的，自从乌龟走了以后，我就没有一张像样的餐桌……你快吃吧！我从夏宫里，把你剩下的食物全拿来了。整整一天，你都没有被饿死。这真是一个奇迹！"一直到现在，老老鼠还固执地称翠湖公园里的

秘密山洞为“夏宫”。

我吃着老老鼠给我带来的食物—— 一根红肠、一团鱿鱼丝，还有几颗樱桃番茄。这些东西都是前几天马小跳给我送来的。

很快，我就吃完了。接下来，老老鼠和老秃费了好大的力气，才把我弄到滑板上。可是，滑板在乱石堆里滑不动。老老鼠和老秃只好像抬担架一样地抬着滑板，把我从乱石堆里抬了出来。

两只老鼠都累趴下了。前面还要经过一大片荒草地，我很担心在天亮之前，我是不是能回到翠湖公园。

“只要过了这片荒草地，滑板就可以载着你，像汽车那样在路上奔驰。”

老老鼠的心态一向很好，在他的眼前永远有胜利的曙光。老秃跟他可不一样，老秃开始抱怨起我来了：“你这只猫也真是！摔哪儿不好啊？偏要摔腿！”

“怎么说话的？他想摔哪儿就摔哪儿吗？”老老鼠训斥道，“老秃，笑猫把腿摔伤，你要负很大的责任。如果不是你带他去爬那座烟囱，他怎么会摔伤？”

老老鼠的威望确实很高。老秃被他训得一声不吭，低着头，特别卖力地在荒草丛中推着滑板向前走。

地上的荒草长得太高，老老鼠和老秃几乎是每向前推一步，就得停一下，再推一步，再停一下。我们走过荒草地时，已经是午夜了。

真的像老老鼠说的那样，只要一上了平坦的道路，滑板就载着我，开始像汽车那样飞快地奔驰了。我趴在滑板上，老老鼠和老秃推着滑板一路狂奔，过高速路，上立交桥，下隧道。幸好夜里车少人少，我们一路通行无阻。

# 猫骨折了也要上夹板

## 第三天

天气：烈日炎炎，早晚有风。早晨，在“秋老虎”没出来前，是凉爽的；夜晚，在“秋老虎”入睡后，也是凉爽的。

回到翠湖公园里的秘密山洞时，已经是凌晨了。

“笑猫老弟，我和老秃算是对你仁至义尽了。至于你那条受伤的腿，我们想帮你的忙也帮不上。这全指望那几个孩子了。”

老老鼠临走的时候，坚决要把我身子下面的滑板带走。

“你都不知道，为了给你找一辆和医院里病人用的推车差不多的车子，我真是绞尽了脑汁！我是冒

着生命危险，从别人的家里偷出这块滑板的。”

我说:“如果你想做一只高尚的老鼠，就应该把滑板还给人家。”

“笑猫老弟,你千万别指望我能成为一只高尚的老鼠。就我这把年纪,想高尚也高尚不起来了。我想,我应该是一只很有创意的老鼠。把滑板作为活动的床,已经是一个了不起的创意了;再把滑板作为活动的餐桌，我敢说，这个创意在世界上都是独一无二的。”

老老鼠和老秃又费了好大的力气，把我从滑板上挪到地上,然后他们俩推着滑板离开了我的秘密山洞。

我太困了，昏沉沉地不知睡了多久。突然，我听见了地包天的声音。

“猫哥！昨天,我找了你整整一天。你到哪儿去了？”

我不知道该怎样回答地包天,只好侧了侧身子,背对着她。

地包天以为我是怕闻到她嘴里的蒜味儿。

“我今天早晨是吃了糖蒜，但是我也嚼了口香糖。”地包天张大嘴巴，朝我哈出一口气，“你闻！你

闻闻嘛！”

地包天硬把我的头扳过来对着她的脸，我闻到了一股好闻的薄荷味儿。

在地包天的纠缠下，我不得不告诉她，昨天我去找虎皮猫了。

“你找到了吗？”

“我的确找到了一只虎皮猫。可是，他是一只男猫，而且他在我毫无防备的情况下，把我从一座很高的烟囱上推了下来。我的腿摔伤了，估计是骨折了。”

地包天大放悲声，哭得上气不接下气。

“猫哥，我真的很难过，很伤心。在那一年我离开妈妈的时候，我也没有这么伤心过。”

“我不喜欢你哭！”我故作轻松地说，“我又没有死。”

“你是不是很疼？如果能把你的疼痛转移到我的身上，我愿意为你去疼，去痛。”

我的疼痛不可能转移到地包天的身上，但我还是被她的话感动了。我安慰她说，只要杜真子或者马小跳知道我受伤了，他们就会马上把我送到裴帆哥哥

的宠物医院去治疗的。

“我现在就回去叫杜真子来。”

地包天要找到杜真子并不难，因为她的主人就住在杜真子家的楼下。

地包天刚走，老老鼠就来了。他居然推来了他的活动餐桌——那块滑板。滑板上还放着半个露着肉馅的包子。

老老鼠端端正正地坐在他的活动餐桌前，不知道是在对我说，还是在自言自语：“吃饭呢，一定要有餐桌。餐桌上呢，一定要铺桌布。桌布呢，我还是喜欢小方格子的……我相信，总有一天，我的这张活动餐桌上，一定会铺上一张小方格子的桌布。”

老老鼠对生活永远怀有憧憬。有时，这种憧憬也许就是一张漂亮的小方格子桌布。

“笑猫老弟，你知道这是什么吗？”

老老鼠指着那露着肉馅的半个包子问我。

我说，是肉包子。

“错！错！错！”老老鼠说，“这是汉堡包。”

“你骗谁呢？我又不是没见过汉堡包！”

“我知道。可是，你说的是外国的汉堡包。你见过中国的汉堡包吗？”

中国还有汉堡包？我说，我没见过。

“我告诉你，你说的肉包子，就是中国的汉堡包。”老老鼠一边说，一边开始吃那半个包子，“每天，能有半个中国的汉堡包当早餐，这日子才过得那叫一个滋润！咦，我好像听见有脚步声……”

一定是地包天把杜真子带来了。

“你快走！别让人看见我和老鼠在一起。”

“来不及了。我还是躲起来吧！”

老老鼠临危不乱，在忙着藏身的同时，还没忘了把他的活动餐桌推到一个角落里。

果然是地包天带着杜真子来了。杜真子把我抱起来，不停地亲我的脸。

我痛苦地呻吟着。

“笑猫，你怎么了？”

杜真子把我放在地上，这才发现我站不起来了。

因为我和杜真子语言不通，所以她永远不会知道我究竟经历了什么事情，她只能把我送到医院里去。

杜真子抱着我离开了翠湖公园，地包天也一路跟着我们。在公园门口，杜真子用公用电话给马小跳打了电话，叫他直接去裘帆哥哥的宠物医院。

来到宠物医院，马小跳和裘帆哥哥已经在门口等着我们了。裘帆哥哥把我抱进治疗室，给我做全身检查。

马小跳不停地问裘帆哥哥："到底伤到哪里了？伤得重不重？"

裘帆哥哥说："是右后腿受伤了。伤得怎么样，得拍了片子才知道。"

X光片显示的结果，跟我估计的一样。我的确是骨折了。伴随着一阵剧烈的疼痛，我的断骨被裘帆哥哥接上了。然后，裘帆哥哥又给我的伤腿敷上药，上好了夹板，再用绷带缠了起来。

"咦？人骨折了要上夹板，猫骨折了也要上夹板！"

"杜真子，你真无知！难道你不知道人和动物是一样的吗？"

马小跳和杜真子还是那样—— 一说话就要吵起来。

杜真子不理马小跳，她问裴帆哥哥，我腿上的夹板要上多长时间。

“跟人一样，”裴帆哥哥说，“伤筋动骨一百天。一百天以后，才能取掉夹板。你们把笑猫带回去后，一定不要让他乱动。三天之后，来换药。”

为了决定我到底回谁的家，马小跳和杜真子又吵了起来。马小跳要我回他的家，他的理由是杜真子的妈妈不喜欢我，而他的爸爸妈妈会对我很好。

“我觉得笑

猫最好还是跟我回家。”杜真子说，“我可以瞒着我妈妈，把笑猫藏在我的房间里。我会很好地照顾他，给他做很好吃的东西。”

我承认杜真子给我做的饭比马小跳做的饭好吃。但如果在杜真子的家和马小跳的家之间选择的话，我更愿意去马小跳的家，因为那个家对我来说更温暖。可是，我愿意有什么用呢？他们又听不懂我的话。

马小跳争不过杜真子，最后还是由杜真子把我带回了家。我不是很高兴。地包天却很高兴。她说，我现在离她这么近，她以后可以天天来看我。

地包天还是不敢乘电梯，我们在电梯间门口那里分开了。

我又回到了杜真子的家。杜真子的妈妈还没回来，杜真子把我放在一个藤编小筐里，对我说：“如果我妈妈回来，我就把你藏在床底下。你千万别出声！”

下午，杜真子的妈妈就回来了。我躲在杜真子的床底下，大气都不敢出，憋得真难受啊！

# 大乌龟变成了绿毛龟

## 第四天

天气：虽然现在已经是秋天，但在白天，几乎找不到一丝秋天的痕迹，树还是那么绿，太阳还是那么毒。

我还是被杜真子的妈妈发现了。

杜真子除了吃饭、洗澡、上卫生间以外，一直在自己的房间里陪着我。今天，就在她出去吃早饭的那一会儿，她妈妈进来拖地，一拖把就把我从床底下拖了出来。我想，我身上缠着绷带的样子一定把她吓坏了。我看见她的每一根头发都像通了电一样地立了起来，她的脸像纸一样地惨白，她的尖叫声是那种见了鬼一样的最恐怖的尖叫声。

杜真子跑进房间："妈妈，笑猫的腿受伤了，我把他带回家来养伤。"

"他不是离家出走了吗？我们家可不白养不捉老鼠的猫！"

杜真子的妈妈一缓过劲儿来，便对我不客气。

"妈妈，求求你！你就让笑猫在我们家养伤吧！"

我知道，杜真子从来不求人，她是为了我，才这样求她妈妈的。

"好吧！就三天。"杜真子的妈妈不想跟杜真子多说，"三天之后，你把他给我弄走！"

"三天不行！"杜真子说，"伤筋动骨一百天。笑猫至少要在我们家养一百天。"

"我说三天就三天！伤筋动骨一百天，说的是人。猫怎么能跟人比？"

杜真子的妈妈对我们动物如此歧视，这让我的自尊心受到了严重的伤害。我一天也不想在这里再呆下去。我哀伤地望着杜真子，眼睛里饱含着泪水。

杜真子永远是懂我的。她把我抱了起来："笑猫，

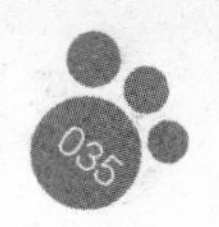


对不起。我知道,你心里很难过。你是不是想去马小跳的家?”

我不住地点头。

等杜真子的妈妈出门后，杜真子就给马小跳打电话:“马小跳，你来把笑猫带走吧！见了面我再跟你说原因。你快来啊！”

过了一会儿,马小跳就来了,一副十分生气的样子。

“昨天，我要带笑猫回我家，你却偏要带他回你家。结果怎么样?你不用给我讲原因,我也知道是怎么一回事。你妈一定给笑猫气受了，是不是?”

杜真子没有回答，她在默默地流眼泪。

马小跳天不怕，地不怕，就怕女孩子流眼泪。

“杜真子，你千万别哭！你叫我干什么，我就干什么，还不行吗?”

杜真子还是不理马小跳。她打开冰箱,装了很多东西在一个手提袋里，然后把手提袋交给马小跳:“这些都是笑猫喜欢吃的。你快带着笑猫走吧！”

马小跳把手提袋挂在他的脖子上，双手捧着装着我的藤编小筐，离开了杜真子的家。

在楼下，我忍着疼痛，侧着身子，扭过头去看楼上杜真子家的阳台。我有一种感觉：这会儿，杜真子肯定在阳台上。果然，杜真子趴在阳台上，依依不舍地望着我。

我的眼睛里，再一次浸满了哀伤的泪水。杜真子舍不得我，我也舍不得杜真子，可是我们不得不分开。世界上许多生离死别的故事，就是这样发生的。

一进马小跳家的门，我十分沉重的心情就一下子变得轻松起

来。这个家里好像有一种特别的能让人快乐起来的空气。马小跳知道我喜欢看有关猫的动画片，于是，他把装着我的藤编小筐放在客厅的沙发上，然后马上跑去打开影碟机。

“笑猫，你是愿意看《猫和老鼠》，还是愿意看《加菲猫》？”

《猫和老鼠》我已经看了很多遍。那只有勇无谋的猫傻乎乎的，永远被老鼠戏弄，看着心里就来气。还是那只肥胖的、神态慵懒、贪图享受的加菲猫有点意思，他的生活哲学值得玩味。

我叫了三声。马小跳明白了我是要看《加菲猫》。

到了晚上，马小跳把我移到了阳台上。我喜欢这个地方。在这儿，我能看见星星和月亮，能吹到凉爽的晚风，能闻到夜来香的芬芳……

在阵阵带着花香味儿的熏风中，我不禁有些昏昏欲睡。这时，我隐隐约约地听见有谁在和我说话：“笑猫，你怎么啦？你受伤了？”

我好像在做梦，又不像在做梦。这说话的声音分

明是乌龟的声音啊！

我睁开眼睛，甩甩脑袋，终于清醒了。我看了看四周。可是，乌龟在哪儿呢？

“笑猫，我就在你跟前啊！”

今晚的月光格外清亮，完全看得清阳台上的一切。我的面前没有乌龟，只有一堆长得郁郁葱葱的青草。

怎么回事？刚才，就在我睡着之前，阳台上是没有这堆青草的呀！

“笑猫，你听我慢慢给你讲。”这确确实实是乌龟的声音，“你看见的这堆青草就是从我的背上长出来的。”

我把头埋进青草里，果然看见青草的根都长在龟背上。龟背上长出的这些青草很细很细，就像松软的绿毛。

“大师，你的背上不是有像小鱼儿一样的甲骨文吗？怎么会长出绿毛来呢？”

“唉，说来话长。我还是长话短说吧！”乌龟说，“那天，和你们在张达的外婆家分手以后，我来到了一

座大山，发现山中有一眼温泉。我在温泉里面游了一会儿便睡着了。等我醒来时，就发现我已经变成了绿毛龟。”

这大山中的温泉里一定有灵丹妙药，否则怎么可能使一只活了成千上万年的老乌龟的背上，长出碧绿、柔软的细草来？

“挺好的。我喜欢你变成绿毛龟。”我说，“这样看起来，你既年轻又时尚。”

“笑猫，你的腿是怎么受伤的？”

我把我去寻找虎皮猫，却又在烟囱上被那只雄性虎皮猫推下去的经过讲给乌龟听了。哦，现在应该叫他绿毛龟。

“大师，你是怎么找到我的？”

绿毛龟说：“我到翠湖公园里的秘密山洞去找过你，你不在，所以我估计你会在马小跳的家里。”

“可是，我昨天还在杜真子的家里。”

“我就知道你在杜真子家呆不长。”绿毛龟话题一转，“笑猫，你真的忘不了那只虎皮猫？”

“忘不了。”我深情地说，“我从来没有忘记过她。”

“让我想想，让我想想……”绿毛龟好像想起了什么，“你说的这只优雅、高贵的虎皮猫，我是见过的。”

我半信半疑：“大师，你不会是在安慰我吧？”

“真的。我真的见过这样一只虎皮猫。”绿毛龟认真地回忆着，“就在昨天的昨天，我看见这只虎皮猫呆在一座别墅的房顶上。”

我急忙问：“她在房顶上干什么？”

“什么都没干，好像在发呆。”

我心中的那只虎皮猫就爱发呆。我怕重犯上次犯过的错误，忙问绿毛龟：“你看清楚了吗？那只虎皮猫是男猫还是女猫？”

“那只虎皮猫在那么高的地方，离我又那么远，我怎么看得清楚？”

“大师，我想亲自去看看。”

只要有一线希望，我就不会放弃。

“可是，你的腿还不能走路。”

“大师，你的腿就是我的腿。”我恳求绿毛龟，“你就驮我去吧！”

绿毛龟一定是被我的执著感动了，他答应了。

# 红顶别墅里的波斯猫

## 第五天

天气：以前，一直不知道太阳有没有香味儿。今天，在刚收割了庄稼的田地上，我终于闻到了从泥土深处透出来的那种厚厚的醇香。

早晨我醒来的时候，发现自己已经不在马小跳的家里了，而是在刚收割了稻子的田地上；我也没在藤编小筐里，而是侧卧在绿毛龟背上的草丛中。好舒服，好柔软啊！还能闻到青草的阵阵清香！

“你不会觉得很奇怪吧？”绿毛龟侧过头来对我说，“我只有在天亮之前，才能穿墙而过。我看你睡得正香，就没叫醒你。我驮着你离开了马小跳的家。”

跟绿毛龟在一起，就不能用正常的方式来思维。

对于再怎么意想不到、突如其来的事情，我也不会感到奇怪。

我问绿毛龟："我们在这里干什么？"

"你看见那座红顶别墅了吗？那就是我昨晚给你说过的那座别墅。这里是观察那只虎皮猫的最佳位置。"

这时，我又想起了翠湖公园里那个落满梨花的草坡，那里是遥望塔顶上的虎皮猫的最佳位置。

这座哥特式建筑风格的红顶别墅有一个十分夸张的尖顶。绿毛龟说，他看见虎皮猫就是蹲在那个尖顶上的。

"现在时间还早。等太阳升起来的时候，虎皮猫就会出现在那个尖顶上。"

太阳升起来了，可是虎皮猫还是没有出现在尖顶上。我太想早一点儿见到虎皮猫了，我央求绿毛龟把我驮到那座别墅里，因为也许在那里我就能找到虎皮猫。

别墅的铁艺雕花大门关得紧紧的。绿毛龟驮着我

钻进路边的草丛里，我们就在这里等待着，因为那两扇大门总有打开的时候。

过了一会儿，一辆红色的跑车从别墅里面开了出来。就在铁艺雕花大门慢慢开启的那一刻，绿毛龟驮着我猛地冲了进去，又迅速地在花园里隐蔽了起来。

红色跑车开出去后，两扇大门又慢慢地关闭了。我们都看明白了，这是电子遥控的自动门，旁边并没有人操控。于是，绿毛龟不再躲躲藏藏，他驮着我大摇大摆地朝别墅走去。

通向别墅的是一条鹅卵石小径。小径两边的花园里种着清一色的白玫瑰，可见别墅的主人对白玫瑰格外钟爱。

突然，一只白色的波斯猫出现在我们的前方，她两眼紧盯着绿毛龟，心里一定在想：这鹅卵石上怎么突然长出了一丛青草！

“怎么办？”我问绿毛龟，“波斯猫已经发现我们了。”

绿毛龟说：“沉住气，见机行事。”

波斯猫十分警惕。她往前走了一步，然后停下来，见我们没有动静，她才又往前走了一步。

我的脸上露出最友好的微笑："嘿，你好！"

波斯猫的注意力不在我的笑脸上，而在绿毛龟的身上。

"是这一堆草把你运来的吗？"

绿毛龟缩着头，波斯猫显然把他当成了一堆草。这真是一只很有想象力的波斯猫。

波斯猫轻盈地一跳，便跳到了我的身边和我坐在一起。

“我一见到你，就对你有好感。”波斯猫很有亲和力，“你让这堆草继续往前走。现在，男主人和女主人都不在家，我带你参观参观这座漂亮的房子。”

绿毛龟开始继续向前走。这时，波斯猫才发现我的腿上缠着白色的绷带。

“我知道你为什么要坐在这堆会走路的草上了。原来，你的腿受了伤。”

波斯猫一直没问我为什么到这里来。她说，不用问，她也知道。

“你当然是来找我的。有很多猫都到这里来找

我，但是我从来不理他们。我是看见你坐着这堆草来，觉得你与众不同，才理你的。”

这么说，我应该深感荣幸。

“可是，我不是来找你的，我是来找另外一只猫的。”

“你是说虎皮猫吗？”

我心里一阵狂喜：“对，对！就是虎皮猫。”

“你找她干什么？她的性格十分孤僻，没有一只猫会喜欢她的。”

我心中的虎皮猫是很孤傲，但绝对不是“孤僻”。波斯猫用词不当。

我们是从厨房进入这座别墅的。就在波斯猫推开落地窗的那一瞬间，透过落地窗后的轻纱，我看见不远处有一个金色的影子一闪而过。会不会是虎皮猫？

“就是她！她总是偷偷摸摸的，就像老鼠一样。”

波斯猫如此瞧不起我心中的虎皮猫，这让我对她十分反感。可这只活泼开朗的波斯猫并没有看出我的不悦，她热情地带着我们穿过金碧辉煌的饭厅，来到富丽堂皇的客厅。

我对这座别墅并没有兴趣，我一心只想尽快见到虎皮猫。

“她一定又上房顶了。”波斯猫说，“她一上去就会呆一整天。也不知道她在房顶上干什么。”

听波斯猫这么一说，我更加相信这只虎皮猫就是我心中的虎皮猫。只有我才知道，她喜欢在高高的地方看流云，看飞鸟，看日升日落，看月亮星辰……

“求求你！你能不能带我们去找她？”

“你的腿都断了，怎么上得了房顶？”

“没问题！”绿毛龟伸出头来，“我的腿就是他的腿！”

像绿毛龟这样的慢性子也着急了，他也想快点儿见到虎皮猫。

看着眼前的绿毛龟，波斯猫目瞪口呆。我赶紧给她解释，她所说的这堆“会走路的草”，其实就是绿毛龟。

“绿毛龟？我以为只有在传说中才有绿毛龟，没想到我能亲眼看见。笑猫，我好羡慕你！我也想和你一样把腿摔断了，然后天天坐在绿毛龟的背上。”

这波斯猫说话口无遮拦，想到哪儿就说到哪儿。

绿毛龟驮着我上了几级楼梯，我便从绿毛龟的背上滚了下来。

波斯猫说："你们到我的房间里去等着吧！我去把虎皮猫叫下来。"

波斯猫把我们带到她的房间。这是一个粉色调的、布置得很温馨的小房间。粉绿的墙，粉黄的窗帘，粉紫的地板。地板上还有两个粉红的软垫，那是波斯猫和虎皮猫的床。原来，这也是虎皮猫的房间。

"可是，她从来不住在这里。"

"为什么？"

"不知道。"波斯猫说，"她是一只让我永远也搞不懂的怪猫。"

可是，我懂。我心中的虎皮猫之所以高贵和优雅，正是因为她独来独往，而且与周围的一切都保持着距离。

波斯猫离开她的房间，上房顶找虎皮猫去了。我的心又开始狂跳起来，连绿毛龟也感觉到了。

"笑猫，你别太激动。我真担心虎皮猫下来后，你会晕过去。”

过了一会儿，波斯猫回到房间里，可是她并没有把虎皮猫带下来。

“她不愿见你们。”

我急了：“你一定没对她讲我是笑猫。”

“我讲了。我说你是一只会笑的猫，对她一往情深。为了找她，你把腿都摔断了，还在到处找她……”

“她怎么说？”

“她永远只说三个字——‘不可能’。”

怎么会是这样？我不知道问题出在哪儿，但我心里明白，今天肯定是见不到虎皮猫了。明天正是我把腿摔伤后的第三天，马小跳还要带我去裴帆哥哥的宠物医院换药，绿毛龟只好驮着我离开了别墅。

我们和波斯猫告别时，她看我的眼神已经有些异样了。

# 神秘地失踪，又神秘地出现

## 第六天

天气：“秋老虎”已经横行了好多天。今天快到中午了，却还不见它的踪迹。很久没有下雨了，是不是“秋老虎”知道今天要下雨，躲雨去了？云层很厚，却一直没有下雨。原来，“秋老虎”躲懒去了。

昨天深夜，我和绿毛龟回到了马小跳家。家里的人都睡了。

从杜真子家带来的那个藤编小筐还放在阳台上。绿毛龟身子一斜，我翻身一滚，便滚进了小筐里，然后舒舒服服地睡了一觉。

第二天清晨，最早起床的是马小跳的宝贝儿妈妈。这个我很喜欢的漂亮女人，穿着淡紫色的真丝睡裙，披着翻着大卷儿的长发，到阳台上来给植物浇水。她先

给龟背竹浇水。绿毛龟就在龟背竹的下面，我看见她给绿毛龟也浇了一点儿水。我知道她是近视眼，可能刚起床，她还没来得及戴上隐形眼镜，所以也把绿毛龟当成了一堆草。

我叫了一声，宝贝儿妈妈这才发现了我。

“笑猫！真的是你吗？”宝贝儿妈妈不敢相信她的眼睛，“你总是神秘地失踪，又神秘地出现。马小跳，笑猫回来了！”

马小跳连拖鞋都没来得及穿，就赤脚跑到阳台上。他一把将我抱起来：“笑猫，你跑到哪儿去了？昨天，我和杜真子，还有唐飞、毛超、张达，我们找了你一整天！”

宝贝儿妈妈说：“我真的觉得好奇怪！笑猫的腿断了，一步都不能走，昨天整整一天，他会到哪儿去呢？噢，我赶紧去给杜真子打个电话，好让她放心。”

宝贝儿妈妈到客厅里去打电话了，马小跳还留在阳台上。我能想象得出，昨天杜真子和马小跳肯定吵了一整天，因为杜真子一旦知道我失踪了，她肯定

会怪罪马小跳的。可怜的马小跳！

马小跳终于发现了绿毛龟。他蹲在绿毛龟的身边，看了又看，还用手去摸绿毛龟背上的绿毛。虽然他感到十分惊诧，但他没有声张。我知道，这是因为小孩子们都有自己的秘密，而有些秘密是他们不愿意让大人知道的。

等到马天笑先生和宝贝儿妈妈都出了门，马小跳就马上跑到客厅里去打电话。当然，他不是打给杜真子的。

“唐飞,我们家出了一件奇怪的事情。想知道就快来！”

啪的一声，马小跳把电话挂了，他没时间跟唐飞多说。

“毛超,我们家来了一个神秘的客人。想知道就快来！”

啪的一声，马小跳把电话挂了，他没时间跟毛超多说。

“张达，知道什么叫绿毛龟吗？想知道就快来！”

马小跳刚把电话挂断，门铃就响了起来。

“不会吧？就算你比汽车跑得还快，也不至于这么

快就来了吧。"

马小跳以为门外是张达，我却认为那很可能是杜真子。马小跳开门一看，果然是杜真子。

马小跳好像有些失望："怎么是你？"

"为什么不可以是我？"杜真子推开马小跳，径直向阳台上走来，"我姨妈说，笑猫回来了！"

我叫了一声。杜真子扑过来把我抱在她的怀里："笑猫，你昨天到哪儿去了？难道你的腿已经好了，可以走路了吗？"

杜真子把我放在地上。我站都站不起来，哪里还能走路？

"马小跳！"杜真子气呼呼地瞪着马小跳，"昨天，你是不是把笑猫藏起来了？"

"我没有！"马小跳的脸涨红了，脖子上鼓起几根青筋，"昨天你哭的时候，我的眼泪也快掉下来了。"

"我怎么没看见你的眼泪？"

"男儿有泪不轻弹！"马小跳说，"女人的眼泪都

是从眼睛里流出来的，男人的眼泪都是从眼睛里流进肚子里的。”

“马小跳，我不想跟你讨论眼泪的问题。现在我想知道的是，笑猫根本不能走路，他怎么会失踪！”

“我也想知道。”马小跳问杜真子，“你能回答我吗？”

“马小跳，是我在问你！”

我真想回答他们的这个问题。可是，我说的话他们又听不懂，我只能看着他们吵。

这时候，门铃响了。我估计门外是张达，因为他跑得最快。

来人果然是张达。

“绿……绿毛……龟在哪儿？”

杜真子听得莫名其妙：“马小跳，张达在说什么？”

刚才，杜真子一直在跟马小跳吵架，她一点儿也没注意到绿毛龟。

这时候，门铃又响了。马小跳让张达自己到阳台上去找绿毛龟，他又跑去开门。

来人并没有进门来。“马小跳，你们家到底出了什么怪事？如果不是相当地怪，我就走了。”听声音，这人是唐飞。

因为有杜真子在，所以马小跳不太愿意让唐飞进来。马小跳十分爽快地说：“不是相当地怪。你走吧！”

“唐飞，你别走！”杜真子跑到门口，“昨天笑猫神秘地消失了一整天，今天他又神秘地出现了。你说，这事儿怪不怪？”

“怪！相当地怪！”虽然我看不见唐飞的表情，但是我能听出他的声音里充满了惊喜，“表妹，你也在这里啊？”

“唐飞！我给你说了不止一百遍，杜真子是我的表妹，不是你的表妹，你只能叫她杜真子。”

我也曾经多次听见马小跳对唐飞这么说过，没有一百遍，也有几十遍。可是，唐飞还是喜欢叫杜真子“表妹”。

唐飞根本不理马小跳。他紧紧跟在杜真子身后，

“表妹”长“表妹”短地说个没完。

毛超是最后一个到的。听声音，他急得就像赶飞机却没能赶上。

“马小跳，你说的那个神秘的客人还在不在？”

“在阳台上。”

毛超跟着马小跳来到阳台上。张达、唐飞和杜真子都蹲在绿毛龟身边，正仔细地研究着。

“马小跳，我觉得笑猫的神秘失踪和神秘出现，跟绿毛龟都是有关系的。”杜真子说。

“绿毛龟是从哪儿来的？”毛超扭过头去问马小跳。

“我怎么知道？”马小跳说，“如果我知道，还找你们来干什么？”

杜真子说：“能不能大胆地发挥一下我们的想象力？这只绿毛龟会不会就是那只很老很老的大乌龟？”

“完全有可能。”唐飞连声附和，“表妹说得相当地有道理。”

“可……可是……”

“我知道你要说什么，让我来帮你说。”毛超最喜

欢当张达的代言人，“那只大乌龟的背上本来有很多甲骨文。现在，他的背上怎么会突然长出绿毛来呢？”

“这不奇怪。”马小跳说，“有一次，我在电视上看见过一只大乌龟，他在温泉里呆了一段时间后，身上就长出了绿毛，变成了绿毛龟。”

现在，大家对绿毛龟就是由大乌龟变的，已经不再有争议。为了更有力地证明这只绿毛龟就是那只大乌龟，马小跳叫杜真子去做一碗番茄奶昔来考验绿毛龟。马小跳说，如果绿毛龟真是那只大乌龟的话，那么他就应该特别爱喝番茄奶昔。

杜真子很快就做好了番茄奶昔。她端了满满一碗放在绿毛龟面前。绿毛龟把头伸进碗里一吸，碗里的番茄奶昔就只剩下半碗了，绿毛龟再一吸，便见碗底了。

马小跳说："可以肯定，这只绿毛龟就是那只大乌龟。"

现在，再来分析我的神秘失踪和神秘出现，马小跳他们就很快找到了答案。这个答案就在绿毛龟的身上。

马小跳他们的注意力都在绿毛龟的身上，我真担

心他们会忘记了我今天应该去医院换药。我必须提醒他们。于是，我大叫了两声。

几个孩子看着我，他们好像都感到有点儿莫名其妙。看来，他们真的已经忘记了我今天要换药。

我又叫了三声，杜真子才恍然大悟："我们差点儿忘了一件很重要的事情——笑猫今天该去换药了。"

"快！去医院！"

马小跳抱起装着我的藤编小筐，带着一干人，浩浩荡荡地去了裴帆哥哥的宠物医院。

# 这帮波斯猫兄弟

过几天

天气：一场秋雨，一层凉。昨天的雨虽说是毛毛雨，但整整下了一天。今天的气温一下子降了好几度。

那天去裴帆哥哥的宠物医院换药时，裴帆哥哥解开绷带，检查了我受伤的腿。他说，我的腿恢复得不好，肯定是因为没有乖乖地养伤。裴帆哥哥还对马小跳和杜真子说，我需要补补钙。唐飞一听，就嘿嘿地笑起来，他说，在裴帆哥哥的医院里，给动物治病完全就像给人治病一样。马小跳说："这有什么好奇怪的？医院是救死扶伤的地方，人和动物都是有生命的，生了病以后当然也应该一样地治疗。"

从医院里出来后，马小跳让杜真子先带我回家，他说他要去超市买棒子骨，因为在宝贝儿妈妈把腿摔伤的那些日子里，他就是天天到超市买棒子骨熬汤给她喝的，效果很好。他还说，别人都说伤筋动骨一百天，可是还不到一百天，宝贝儿妈妈的腿就完全好了。

我不能辜负马小跳，而且我也想让我的腿快点儿好，所以虽然我还没有与我心中的虎皮猫相见，虽然我时时刻刻都想见到她，但我还是把这种强烈的思念之情控制住了，在马小跳的家里乖乖地养了几天伤，乖乖地喝杜真子给我熬的骨头汤。那油腻的汤真难喝呀！喝得我闷头闷脑，满嘴都是油珠子。

过了几天，马小跳和杜真子又带着我去医院换了一次药。这一次，裴帆哥哥说我的腿恢复得很好。杜真子说，这是她的功劳，因为她天天给我熬汤喝。马小跳却说，这是他的功劳，如果没有他天天去超市买棒子骨，那么杜真子拿什么来熬汤！

我也觉得我的腿好多了，我又很想去那座红顶

别墅了。绿毛龟看出了我的心思，就在今天天亮之前，他驮着我离开了马小跳的家。

又来到了那片刚收割了庄稼的田地上。远远地，我就看见了红顶别墅的尖顶，虎皮猫正蹲在尖顶上！我的心又狂跳不已。

“笑猫，你的心跳得好快哦！”我趴在绿毛龟的背上，他当然能感觉到我的心跳，“你要看清楚哦！那只虎皮猫真的就是你心中的虎皮猫吗？”

“八九不离十吧。”我眯起眼睛，“那微微抬起的下巴、那背部优美的线条、那尾巴上的环纹……太像了！但是，大师，你好像在怀疑……”

“我只是有点想不通。上一次，她既然知道你来找她，为什么却不肯来见你呢？”

这也是让我想不通的问题。

“难道是你喜欢她，而她不喜欢你？”

如果真的是这样，我会很伤心的。

“还有一种可能：就像上次你在烟囱上遇到的那只虎皮猫一样，别墅里的这只虎皮猫也是一只男猫。唉！

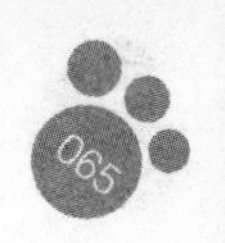


那天，你怎么不问问那只波斯猫？”

红顶别墅尖顶上的这只虎皮猫究竟是男猫，还是女猫？我必须马上弄清楚。

“大师，我们马上到别墅里去问问波斯猫吧！”

绿毛龟驮着我向别墅跑去。

这时,刚好有一个园丁走进了别墅的大门。就在那两扇铁艺雕花大门就要关闭的一瞬间，绿毛龟驮着我一步跨了进去。

园丁停下脚步,前后左右地寻找着。他似乎发现了什么。

绿毛龟把身子慢慢地挪进了花丛里，我屏着呼吸，身子紧紧地贴在绿毛龟的背上。

园丁还在低头寻找。刚才，他一定是发现了我们。这花园里所有的花草树木,都是他亲手栽、亲手种的。他一定记得在这花园里,他没有种过绿毛龟背上的那种细软的青草。

眼看着我们就要被园丁发现了，这时波斯猫跑来了。她开始疯狂地糟蹋起花园里的白玫瑰来。

“该死的猫！你疯了吗？”

园丁扑过去保护白玫瑰。波斯猫又迅速跑到远处去糟蹋那里的白玫瑰。园丁嘴里骂骂咧咧地向前奔跑，一路追赶着波斯猫。

“你看出来没有？”绿毛龟伸出头来问我，“波斯猫是故意把园丁引开的。她在掩护我们。”

我当然看出来了。我对这只漂亮、俏皮又任性的波斯猫越来越有好感了。

园丁从我们跟前消失了，波斯猫却出现了。

“快跟我来！”

我们跟着波斯猫经过厨房，穿过饭厅，来到了她的房间。

“笑猫，我天天都在等着你来。今天，你终于来了！”

如果这话是我心中的虎皮猫对我说的，我一定会激动得……可惜，这话是波斯猫说的。尽管我对波斯猫越来越有好感，但我只能给她一个最友好的微笑。

“笑猫，你的微笑太让我着迷了！”

面对热情奔放的波斯猫，我必须直奔主题：“那只

虎皮猫究竟是男猫，还是女猫？你能告诉我吗？”

“她当然是女猫！”波斯猫非常生气，“我怎么可能跟一只男猫住在一个房间里呢？”

“对不起。”我赶紧向波斯猫道歉，“我这样问，是因为确定虎皮猫是不是女猫，对我来说很重要。”

我给波斯猫讲了我和虎皮猫的故事，当然也讲了我的腿是怎么受伤的。

“你的故事太让我感动了！”波斯猫是一只容易被感动而又率真的猫，“其实，在我第一眼看见你的时候，我就喜欢上你了。可是，你喜欢的是虎皮猫。我就成全你们吧！你需要我为你们做些什么吗？”

我问波斯猫：“虎皮猫是什么时候来到这座别墅里的？”

波斯猫眯着眼睛想了一会儿：“大概是在春天就要结束，夏天就要开始的时候。”

啊，虎皮猫正是在那个时候失踪的！我更加确信这座别墅里的虎皮猫就是我心中的虎皮猫。

“虎皮猫来了以后，我一直想跟她做朋友。可是，

她总是离我远远的，不让我走近她。”

“为什么？”

“因为她自卑。”

自卑？我心中的虎皮猫怎么会自卑呢？她是喜欢独来独往，但她身上的这种孤独感恰恰是让我特别动心的一种高贵、一种尊严。

波斯猫为什么要说虎皮猫自卑呢？也许，这是因为波斯猫的自我感觉太好，觉得自己太漂亮太优秀，所以她认为其他的猫在她面前都会黯然失色，都会产生自卑的心理。我对波斯猫的好感，一下子减去了几分。我对波斯猫说话的语气也变得冷冷的。

“如果你真想帮我的话，就让我快点儿见到虎皮猫吧！”

“那好吧！”看得出来，波斯猫不是十分乐意，“我说过要帮你的，我说话算数。”

波斯猫上房顶找虎皮猫去了，我和绿毛龟继续呆在波斯猫的房间里等待着。

“大师，你说她会下来见我吗？”

“凡事都是要讲缘分的。”绿毛龟的话听起来挺玄奥的，“如果她真的就是你心中的虎皮猫，那么她一定会来见你的。”

就在这时，我看见有一只白猫跳上了窗台。还没等我看清楚，那只白猫又突然消失了。

绿毛龟说：“会不会是波斯猫从房顶上下来了？”

“可她为什么不到房间里来呢？”

“也许……”

绿毛龟好像有什么话说不出口。

“也许是什么？”我心里已经有一种不祥的预感，“大师，你直说吧！我扛得住！”

“也许，虎皮猫不愿意下来见你，波斯猫呢，怕伤你的心，所以……”

我还没来得及伤心，便看见窗台上突然出现了七八只白猫。这一次，我看清楚了，他们都是清一色的波斯猫。他们都在对我怒目而视，都在对我疯狂地大叫。

“这是怎么回事？”我十分诧异。

“我想起来了！”绿毛龟对我说，“波斯猫不是说过她有许多追求者吗？我想，这些波斯猫一定把你也当做她的追求者了，所以他们要来跟你拼命！”

怎么会有这样的误会？我根本不是波斯猫的追求

者，我是虎皮猫的追求者。如果这帮波斯猫兄弟真要跟我拼命的话，那我就太冤了。幸好那两扇玻璃窗关得紧紧的，否则，在目前这种我毫无抵抗能力的情况下，这帮妒火中烧的波斯猫兄弟非把我撕成碎片不可。

“兄弟们，你们误会了！”我的脸上露出最友好的笑容，“我……”

我要说的话，他们根本听不见。这帮波斯猫兄弟继续用他们的头撞击着玻璃窗，用他们的爪子拍打着玻璃窗。突然，他们争先恐后地从窗台上跳下去，眨眼间便消失得无影无踪。紧接着，我看见园丁挥舞着大扫帚出现在窗口那里。原来，是他把这帮波斯猫兄弟吓跑的。

“笑猫，我们必须赶紧离开这里！”绿毛龟说，“园丁赶跑了那群波斯猫，肯定马上会到这个房间里来的。”

绿毛龟驮着我从波斯猫的房间里逃了出来。

绿毛龟果真料事如神，我们刚出房门，园丁便挥舞着大扫帚进去了。

# 为了雪儿去战斗

## 第二天早晨

天气：在黎明前的黑暗中，我凝视着正在一点一点变亮的天空。就在某一瞬间，一道金光从厚厚的云层里射出来，给灰蒙蒙的云块镶上了金边。镶金边的云渐渐地红了，红成一片绚丽的朝霞。

黎明前的黑暗，黑得让我毛骨悚然。刚收割了庄稼的田地上，那一个个高高的草垛就像一个个披着黑色大斗篷的鬼影子。

我侧卧在绿毛龟背上的青草丛中，一动也不动，也不敢跟绿毛龟说话，生怕惊动了周围的那些鬼影子。

天色一点一点地亮了起来。当第一道曙光从灰色的云层中射出来照耀着大地时，那些披着黑色大斗篷

的鬼影子纷纷摇身一变，变成了穿着金色蓬蓬裙的小人儿。

红顶别墅还沉浸在清晨的宁静里，虎皮猫也没有出现在尖顶上。昨天，我和绿毛龟慌慌张张地离开了别墅，也不知道波斯猫是不是把虎皮猫带下来了。如果发现我们不辞而别，波斯猫会多失望啊！

现在，我急切地想见到波斯猫，想知道昨天的结果。

正当绿毛龟驮着我爬向红顶别墅的时候，几只白猫突然从草垛后面闪了出来，一步一步地向我们逼近。我定睛一看，原来眼前正是昨天见过的那帮波斯猫兄弟。

“麻烦了！”绿毛龟悄悄地对我说，“他们是来跟你拼命的。”

波斯猫兄弟们张牙舞爪，眼露凶光。看他们来势汹汹的样子，我不禁有些悲观地长叹了一声：“唉，我死定了！”

我不是为自己将要死去而伤感，我之所以感到悲

伤是因为在我的生命即将结束的时候，我还没有对心中的虎皮猫说出藏在心里的话。

“笑猫，你不会死的！”绿毛龟做好了战斗的准备，“我会用我的生命来保护你！”

波斯猫兄弟们把我和绿毛龟团团围住，向我们步步紧逼过来。绿毛龟犹如一辆久经沙场的装甲车，驮着我左突右冲，冲出了波斯猫兄弟们的重围。

“站住！”有一只英勇的波斯猫追了上来，挡住我们的去路，“你们要去哪儿？”

我已经亲眼目睹了绿毛龟的神勇，所以不再害怕这些波斯猫了。

“闪开！”

“不许你去找雪儿！”又有一只英勇的波斯猫也追了上来，“雪儿是我们波斯猫的骄傲！她只属于我们波斯猫！”

原来，住在红顶别墅里的波斯猫叫雪儿。我喜欢这个名字。雪儿的确像雪花儿一样纯洁可爱。

“波斯猫兄弟们，你们误会了！”我的脸上露出

十分诚恳的笑容，“我到那座别墅里，不是去找雪儿的……”

“你骗谁啊？我们跟踪你已经不是一天两天了。我们亲眼看见雪儿把你带到她的房间里。可她从来不让我们进她的房间！”

“你每天天不亮就来到这里，不就是为了见雪儿吗？”

……

我不知道该怎么说，才能够让他们相信我。

“我真的不是为了见雪儿，我是为了见另外一只猫。”我抬起一只爪子指了指红顶别墅的尖顶，“就是经常蹲在尖顶上面的那只虎皮猫。”

“那只猫呀！”愤怒的波斯猫兄弟们都不再愤怒，“你喜欢那只猫？”

我连连点头：“是的。我喜欢。”

“那样的猫，你也喜欢？你是不是有毛病啊？”

“真是有眼无珠！”我在心里说，“你们不能欣赏虎皮猫的美，只能说明你们没有品位。”

波斯猫兄弟们还是没有完全相信我，另一只波斯猫上前问道："你怎么证明你说的话是真的？"

正在我不知道应该怎么证明时，雪儿来了。

"我可以证明！"雪儿说，"他真的是来找虎皮猫的。"

接着，雪儿给这帮波斯猫兄弟讲起了我和虎皮猫的故事。雪儿讲得声情并茂，很动感情。

这帮波斯猫兄弟都被感动了。雪儿也为自己讲述的故事而感慨万千："我真羡慕那只虎皮猫，她应该是世界上最幸福的猫。可是，我不明白，有你这样出类拔萃的猫喜欢她，她为什么还那么自卑。"

为什么雪儿讲到虎皮猫时，总是用这样的语气？雪儿看出了我对她的不满，她回过头去叫那帮波斯猫兄弟马上离开，说自己有话要对我讲。

"什么话？我们不可以听吗？"

"不可以听。这些话是关于虎皮猫的。如果你们不马上离开，就别怪我一辈子都不理你们。"

雪儿的话还没说完，波斯猫兄弟们便争先恐后

地离去了。看得出来，他们都想在雪儿面前挣个好表现。

等波斯猫兄弟们彻底地从我们的视野中消失了以后，我迫不及待地对雪儿说："雪儿，快告诉我！昨天她下来了吗？"

"当我对她讲起你的时候，她根本不相信有一只英俊潇洒而且还会笑的猫，会拖着一条受伤的腿来这里找她。"

"后来呢？"

"后来，她一直问我，你为什么会喜欢她。问得我好烦。笑猫哥哥，我家的虎皮猫是一只很难相处的猫，我不明白你是怎么爱上她的。"

雪儿又把话题扯远了。现在，我最想知道的是虎皮猫有没有从尖顶上面下来。雪儿说，她最终还是把虎皮猫带到了房间里，可是我和绿毛龟已经不辞而别。虎皮猫本来就疑心重重，现在更加怀疑雪儿别有用心。

"笑猫哥哥，我是真心想帮你的，但是现在我也无能为力了。”

“雪儿，我最后一次求你！再帮帮我吧！”

好心的雪儿最终还是不忍心拒绝我。

“谁叫我从见到你的第一眼起，就喜欢上你了呢？好吧！我再帮你最后一次。”

# 她不是我心中的虎皮猫

## 第二天晚上

天气：太阳一落山，田野里便有了明显的凉意。没有星星的夜空中，有一个弯弯的上弦月时隐时现地穿行在灰色的云海里。

我和绿毛龟一直在焦急地等待着雪儿带来消息。因为花园和雪儿的房间已经被园丁监控起来了，所以我们不能进入别墅，只能在外面等。

我不停地问绿毛龟："你说，虎皮猫到底会不会来？"

绿毛龟还是那句话："凡事要看缘分。"

"她会来的。她一定会来的。"我不断地安慰着自己，"好事多磨嘛。"

我们从上午一直等到下午，却始终没把雪儿和虎皮猫等来。我渐渐有些心灰意冷了。难道虎皮猫真的把我忘了吗?

就在我几乎感到绝望的时候，雪儿把虎皮猫带来了。

雪儿把虎皮猫带到了我们跟前。虎皮猫却躲在雪儿身后，始终不肯上前。

“来呀！”雪儿把虎皮猫往我身边推，“你看，他爬到高烟囱上去找你，把腿都摔断了。”

虎皮猫的眼神一直是躲躲闪闪的，她没有认真地看过我一眼。我以为这是因为有雪儿在，所以虎皮猫有些害羞。

雪儿知趣地离开了。

面对我日思夜想的虎皮猫，我鼓起勇气，开始了在我心中早已酝酿了很久很久的真情告白：“自从你失踪以后，我就没有一天不在思念你。我一直在找你。你知道吗？”

虎皮猫终于认真地看了我一眼，但是我发现她

的眼神里除了茫然，还有怀疑。

“我不相信你会喜欢我。你到这里来，一定是来找雪儿的。所有的猫都喜欢她，因为她出身高贵，长得漂亮……”

“在我的心目中，你也是高贵的，也是漂亮的。”

“可是，我身上的毛不是白色的，也没有雪儿的毛长；我的眼睛也不是像雪儿那样的，在阳光下，她的一只眼睛闪着蓝色的光，一只眼睛闪着黄色的光……”

“可是……”

虎皮猫根本不容我插话，只顾自己说自己的：“再说，你是一只这么非凡而且还会笑的猫。你真的会喜欢我？就是打死我，我也不相信。你一定……”

虎皮猫接下去还说了些什么，我已经毫不在意了。我只是呆呆地看着她。太像了！她跟我心中的虎皮猫长得几乎一模一样。可是，我现在可以肯定，她不是我心中的虎皮猫。我心中的虎皮猫，她自信，她从容，她淡定，她永远不会拿自己去和别的猫作无谓

的比较。

尽管我失望极了，但我还是很有礼貌地和虎皮猫道别。

我们刚离开了虎皮猫，绿毛龟就对我说，凭他的感觉，可以肯定这只虎皮猫不是我心中的虎皮猫。我沮丧地摇了摇头："当然不是。"

"幸好不是。如果你心中的虎皮猫是这样的，那么我觉得她不值得你这么爱她。"绿毛龟安慰我说，"笑猫，你的一片真情一定会感动上苍的。总有一天，你会找到你心中的虎皮猫。"

"大师，我们回家吧！"

虽然在高烟囱上和红顶别墅里的经历让我难以忘怀，但是我还是要在我的心里画上两个句号。我要开始新的寻找。

天已黑尽。没有星星的夜空中，有一个弯弯的上弦月时隐时现地在灰色的云海里穿行。田野上的一个个草垛，又变成了一个个披着黑色大斗篷的鬼影子。

绿毛龟驮着我，奔跑在田间小路上。

“笑猫哥哥！笑猫哥哥！”

我们正为没能跟雪儿告别而感到遗憾，没想到，雪儿却突然追来了。

“雪儿，谢谢你帮我！”我对雪儿说，“可是，她不是我要找的那只虎皮猫。”

“我早就猜到了。我要告诉你们的是，刚才虎皮猫回到家里后，完全像变成了另外一只猫！”

雪儿的话，我没听懂。

“刚才，虎皮猫高高兴兴地到房间里来找我。她还问我，她是不是很高贵，很漂亮。她完全陶醉在甜蜜的幸福之中。以前，她从来不主动跟我讲话，我找她说话时，她也是爱理不理的。总之，以前她是很难相处的。”

这是我没有想到的结果。可是，我不知道自己接下来又该怎么做。

“笑猫哥哥，是你改变了虎皮猫。你好神奇哦！”

我心里明白，我并不神奇，我只不过是错把红顶

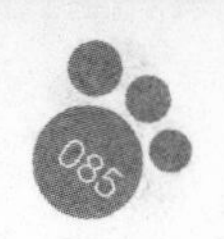


别墅里的虎皮猫当成了我心中的虎皮猫，由衷地对她说了几句赞美的话。看来，真诚的赞美，的确是改变自卑心理的最好的“良药”。

“笑猫哥哥，你明天还来吗？”

“我……”

“笑猫哥哥，如果你明天不来，我家的虎皮猫就又会回到自卑的阴影里，甚至会变得更加自卑。”

听雪儿这么一说，我不假思索地一口答应明天会再来。

“笑猫，你做得对！”等雪儿走了以后，绿毛龟对我说，“你是在不经意间做了一件好事。现在，你要做的就是把好事做到底。”

“大师，我究竟该怎么做？”

“我活了成千上万年，见识过很多自卑的人和自卑的动物。确实像雪儿说的那样，生活中最难相处的，不是脾气暴躁的人或动物，而是自卑的人、自卑的动物。他们敏感，易怒，攻击性极强，在伤害别人的同时，也伤害着自己。要让自卑的虎皮猫变得自信

起来，成为一只心理健康的猫，不是一两天就能办成的事情。”

现在，我把失望的心情暂时放在了一边，脑子里想的都是红顶别墅里的虎皮猫。明天去见她时，我究竟应该做些什么呢？

# 天才画家画的梅花图

## 第三天

天气：天亮之前，下了场阵雨。雨不大也不小，温柔地给天空洗了一个澡。天亮时，天空格外洁净，洁净得没有一点儿杂质；空气也格外清新，清新得如同含在嘴里的薄荷冰激凌。

在红顶别墅后院的丁香树下，我和虎皮猫又见面了。仅仅只隔了一天，今天见到的虎皮猫就跟我昨天见到的虎皮猫判若两猫。虎皮猫看我的眼神，也不再是躲躲闪闪的。

“现在我终于相信你是来找我的，不是来找雪儿的。”

“是的。”我小心翼翼地接着虎皮猫的话说，“我很关心你。”

“你真的觉得我很高贵，很漂亮？”

“是的。”

“那么，我跟雪儿比，谁更高贵？谁更漂亮？”

无聊的比较。这是心理自卑的一个最明显的表现。

我说：“不能这么比。你有你的美，雪儿有雪儿的美。”

“我知道了。”虎皮猫的情绪一落千丈，“雪儿一定比我更美，所以才有那么多的猫喜欢她。”

“你和雪儿的性格不一样。雪儿善于把自己的美展示出来，所以别的猫很快就发现了她的美；而你呢，要

慢慢地才能发现你的美。”

“为什么你能很快地发现我的美呢？”

这又是一个难以回答的问题。自卑的猫，都有一颗容易受伤的心。

“你为什么不回答我？”

我非常想说一些让虎皮猫开心的话，但是我不能撒谎。

“其实，我错把你当做我喜欢的那只虎皮猫了。你跟她长得一模一样。”

“我不明白你在说什么。”

我艰难地把刚才说过的话重复了一遍。

“原来，你喜欢的不是我！”虎皮猫的脸都变形了，我能想象得出她是多么生气，“你为什么要骗我？”

“我没有骗你。你听我说……”

虎皮猫根本不听我说，她转身就跑开了。

我问绿毛龟：“大师，我说错话了吗？”

“没有。你只能实话实说。”绿毛龟说，“要使一

只自卑的猫变得自信起来，不是一时半会儿就能办得到的。”

很快，波斯猫雪儿就来了。

“笑猫哥哥，你对虎皮猫到底做了什么？”

我和绿毛龟急忙问：“虎皮猫怎么啦？”

雪儿说：“虎皮猫出来见你时，还是正常的猫。她刚才回去时，就好像疯了，要用头去撞墙。”

我急了：“你怎么不拉住她呢？”

“如果不是我拉住她，她恐怕已经撞死了。”雪儿说，“笑猫哥哥，这件事是由你引起的，所以还得你去劝她才行。”

我们跟着雪儿，从后花园的一扇小门进入了红顶别墅。在三楼的露天阳台上，我们找到了虎皮猫。虎皮猫正发了疯一样地把洗得雪白的床单从晾衣绳上扯下来，在上面疯狂地践踏。雪白的床单上，印满了虎皮猫像梅花一样的爪印。

红顶别墅的女主人经常在露天阳台上画画。横冲直撞的虎皮猫将女主人放在阳台上的画架、调色板都

弄翻在地。虎皮猫的尾巴上、爪子上都糊满了颜料，她继续在雪白的床单上疯狂地跳来跳去。

“虎皮猫，你要冷静！”雪儿试图走近虎皮猫，“笑猫哥哥来了，他想跟你说话。”

一听雪儿提起我，虎皮猫就更加疯狂地在床单上跳来跳去:“笑猫？笑猫！别让我再听到他的名字！让笑猫见鬼去吧！”

这时，园丁也来到露天阳台上，他挥舞着大扫帚，想把虎皮猫赶走。

“住手！”

女主人卧室的落地窗正对着露天阳台。这时，她正穿着红色的睡袍站在落地窗后面，欣赏着虎皮猫疯狂的“表演”。

“虎皮猫疯了！”园丁把被颜料弄脏的床单抖开来给女主人看，“虎皮猫把这么好的床单都糟蹋了，再也洗不干净了！”

“洗不干净才好呢。”女主人从卧室里走出来，把被虎皮猫弄脏的床单从地上捡起来，举在手中看了又

看，那神情完全像是在欣赏一幅绘画作品，“多么生动的梅花图啊！”

听女主人这么一说，我也走过去认真地看了看。那被糟蹋的床单上，还真是一树梅花：那遒劲的树干是虎皮猫的尾巴扫出来的，那树干上盛开的梅花则是虎皮猫的爪子留下的印迹。

“奇怪了。女主人为什么不生气呢？”雪儿有些迷惑不解。

“她高兴还来不及呢。怎么会生气呢？”我对雪儿说，“你们家的女主人是个艺术家，艺术家都有一双会发现美的眼睛。”

雪儿问：“我家的女主人发现了什么？”

“她发现了一幅幅梅花图。瞧，那些就是虎皮猫用尾巴和爪子画的梅花图！”

女主人让园丁将那些被虎皮猫用颜料“糟蹋”了的床单都高高地挂起来，然后又让厨师给虎皮猫切一盘新鲜的三文鱼来。

当厨师将一盘新鲜的三文鱼摆在虎皮猫的面前

时，虎皮猫停止了疯狂的横冲直撞，她有些蒙了。她不明白女主人为什么在她发疯时，还对她这么好。女主人从来都是喜欢波斯猫雪儿的，以前只有雪儿才能吃到三文鱼。虎皮猫不明白女主人今天为什么要给她吃三文鱼。

雪儿对虎皮猫说:“你知道吗？你是个天才的画家呢。”

虎皮猫看看雪儿，又看看我：“你们又在讽刺我？”

“我说的是真的。不信，你可以问笑猫哥哥，因为他能听懂人话。你可以问问他，刚才女主人都说了什么。”

“我不想听！”虎皮猫说，“女主人从来都是喜欢你的。她能说我什么好话！”

“女主人真的夸你是一个天才的画家。”我说，“你没看见她把那些床单都高高地挂起来了吗？她说那些都是艺术品呢。”

虎皮猫突然问我：“你也觉得我是个天才的画家

吗？”

我反问虎皮猫：“你学过画画吗？”

虎皮猫说：“没有。”

“无师自通，不学也会，这就是天才。你看那些梅花图，你把梅花都画活了！”

虎皮猫还是不太相信自己是天才：“为什么我自己都不知道自己是天才？”

“天才都是被发现的。”雪儿说，“比如你，就是被女主人发现的天才。”

“被她发现有什么用呢？她喜欢的还是你。”

“笑猫哥哥也夸你才华出众。”

“被他夸有什么用呢？他喜欢的是另外一只虎皮猫。”

我马上对虎皮猫说：“我们可以为你办一次画展，让很多的猫都来看你画的梅花图。”

雪儿是一只愿意热心帮助别人、喜欢张罗的波斯猫，我的这个提议让她兴奋不已。她对虎皮猫说：“从明天开始，你什么都不要做，什么都不要想，只

管好好画你的梅花图。我和笑猫哥哥负责为你准备画展的事情。”

“你们为什么对我的事情这么热心呢？”

对于一只长期生活在自卑阴影里的猫来说，有这样的疑心是正常的。我们不需要回答她的问题，我们只需要用行动证明给她看，用我们热诚的心去感动她。

# 身上长满艺术细胞的动物们

那一天

天气：黎明的田野，充盈着露水的气息。田埂边的野花儿，在晨风中摇曳。挂在花瓣上的露珠，如撒落一地的星星。当一轮红日升起时，每颗露珠上都映着一个红红的太阳。

暑假已经结束了，今天是开学的日子。也许是因为这个假期太长了，所以马小跳早就盼着开学。昨天夜里，他起来了三次，看到天还没亮，就又倒在床上呼呼睡去。天快亮时，绿毛龟驮着我准备离开马小跳的家。路过马小跳的房间时，我看见马小跳还睡得沉沉的。如果我的腿没有受伤的话，我就会跳到他的床上，用尾巴去扫他的鼻孔，把他弄醒。

我担心马小跳会迟到。

“我们得马上离开！”绿毛龟催促道，“等天亮了，我们就出不去了。”

只有在天亮之前，绿毛龟才能穿墙而过。我们要赶时间，所以也就顾不上马小跳了。

我们又来到了那片排列着草垛的田地上。虎皮猫的画展将在这里举行。听雪儿说，虎皮猫为了这次画展，每天都要画好几张梅花图。因为不停地受到雪儿的夸奖，所以虎皮猫的心情一天比一天好，虽然目前她跟雪儿还没有成为好朋友，但她们已经能够和平共处了。

雪儿来了。她的身后还跟着七八个波斯猫兄弟，他们的嘴里都衔着一张梅花图。

“还有好多呢。一共有几十幅。”雪儿命令波斯猫兄弟们，“把你们衔来的梅花图贴在草垛上，再回别墅里去把留在那儿的梅花图都衔来吧！”

波斯猫兄弟们还真听雪儿的，他们乖乖地把衔来的梅花图都端端正正地贴在草垛上。

我问：“今天能有多少猫来看画展？”

一只波斯猫说：“方圆几十里的猫，我们都通知到了。”

另一只波斯猫说：“方圆几十里的狗、兔子、鸡、鸭、鹅，我们也通知到了。只是，不知道他们会不会来。”

看样子，这次画展不会冷清，我们得赶紧布置。本来，我是这次画展的总指挥，但波斯猫兄弟们只听雪儿的指挥，不听我的指挥，所以我也只好跟着波斯猫兄弟们搬运梅花图去了。别看我行动不方便，可是我搬得最多，我把别墅里剩下的所有的梅花图都抱在怀里，一次就搬走了。当然，这应该是绿毛龟的功劳。

几十幅梅花图都贴在了草垛上。此时，已经收割过庄稼的田野俨然成了一座艺术殿堂。

我们万万没有想到的是，第一个到来的参观者居然是一头粉红色的猪。起初我们以为他只是路过这里。可是，他一来便在草垛间踱来踱去。雪儿追了过去：“猪大哥，你在找什么？”

“没找什么。我是来看画展的。”

“你也来看画展？”

“不可以吗？”雪儿的话让粉红猪不高兴了，“难道你认为我们猪的身上只有脂肪，没有艺术细胞吗？”

我一直以为有一双笑眯眯的小眼睛的猪，都有一副好脾气，但是这头粉红猪的脾气可不大好。也许，他真是有艺术细胞的猪？我知道，有艺术细胞的人的脾气通常都不大好。

接着，来了一只公鸭子和一只母鸭子，他们显然是一对夫妻。他们俩摇摇摆摆地走在田间小路上，一路吵吵闹闹，让我们在很远的地方就听见了他们的吵闹声。

公鸭子：“天不亮就吵着要上路。你看，来早了吧？”

母鸭子：“我就喜欢争第一。你看，我们是来得最早的。”

公鸭子：“可是，你好像高兴得太早了。我看见有一头猪已经在那里了。”

母鸭子：“不可能！猪是最懒的，所以大家才叫他们懒猪。懒猪不可能比我们来得还早。”

粉红猪从一个草垛后面蹿出来，突然出现在两只鸭子的面前："你们刚才说的话，我都听见了！"

"如果你听见了关于'懒猪'的言论，你千万别生气。"公鸭子表现得无比机智，"我太太说的'懒猪'，并不包括你。"

"是呀，是呀！比我们来得还早的猪，怎么会是懒猪呢？"

公鸭子和母鸭子就这样你一言我一语地把粉红猪说得晕晕乎乎的。最后，粉红猪也不知道自己是该生气，还是该高兴。

陆陆续续地，已经来了不少的猫、不少的狗，还来了不少的兔子和鸡、鸭、鹅。

"该来的都来了。"雪儿对我说，"现在，咱们这次画展的主角——虎皮猫也该出场了。"

"我有一个创意能让虎皮猫闪亮登场。我想，我们应该让虎皮猫坐着花轿出现在画展上。"

"妙！这个创意太妙了！"雪儿说，"可是，我们没有花轿，也没有抬花轿的轿夫啊！"

我从绿毛龟的背上滚下来："用鲜花把绿毛龟装扮起来，不就有花轿了吗？"

田埂边，星星点点地开放着蓝色的、白色的和金色的小菊花儿。雪儿一声令下，波斯猫兄弟们便如一阵白色的旋风一样席卷了田埂上所有的小菊花儿。他们把小菊花儿装饰在绿毛龟的背上，绿毛龟很快就变成了菊花龟。

波斯猫兄弟们簇拥着绿毛龟——哦，现在是菊花龟——进了红顶别墅。过了一会儿，我看见波斯猫兄弟们又簇拥着菊花龟从红顶别墅里出来了，虎皮猫就坐在龟背上的菊花丛中。

"请大家注意——"雪儿高声叫道，"我们的天才画家驾到！"

大家的视线都从梅花图上转移到了虎皮猫的身上。

"哇，真漂亮！"

母鸭子问公鸭子："你是说猫漂亮，还是说花漂亮？"

粉红猪挤到公鸭子和母鸭子的中间："你们有没

有发现虎皮猫坐的花轿并不是由那些波斯猫抬着的？”

“难道那些花会走路？”母鸭子问。

“花又没有脚，怎么会走路呢？”公鸭子显然认为自己的太太问了一个很愚蠢的问题。

刚开始，只是粉红猪和鸭子夫妇在争。后来，参加争论的动物越来越多，并且分成了以粉红猪为首和以鸭子夫妇为首的两个旗鼓相当的阵营。

“糟了，糟了！喧宾夺主了！”我在心里说，“我本来是想让大家的注意力都集中到虎皮猫的身上。没想到，结果反倒让虎皮猫身下的‘花轿’抢去了风头。”

必须让虎皮猫马上离开“花轿”，让大家的关注点重新回到虎皮猫的身上。我冲着远处的雪儿笑了一笑，冰雪聪明的雪儿立刻明白了我的用意。雪儿跳上一个草垛，大声叫着：“大家静一静！静一静！”

争论不休的动物们不但没有安静下来，反而吵得更凶了。

雪儿跳上一个更高的草垛，大声说：“有艺术细胞

的朋友们，请静一静！”

全场顿时鸦雀无声，因为没有一个动物愿意承认自己没有艺术细胞。

雪儿说：“我们都是身上长满了艺术细胞的动物。因为热爱艺术，所以我们从四面八方聚到了一起。现在，我们请天才画家——虎皮猫，为我们现场表演画梅花图。”

早已恭候在“花轿”两旁的八个波斯猫兄弟，把虎皮猫从“花轿”上迎下来，护卫着她来到一块空地上。那里早已铺好了一张巨大的画布，画布的旁边还备有一个巨大的调色板。

虎皮猫十分沉着地走向调色板，她把尾巴伸进一个装满黑色颜料的瓶子里，接着在调色板上扫了扫，她那条糊满黑色颜料的尾巴上立即又蘸上了不少红色的、黄色的和褐色的颜料。然后，虎皮猫在画布上迈起步来。她迈的猫步不是一字步，而是弯来拐去的步子。她那条蘸满颜料的尾巴拖在身后，在画布上留下了笔力遒劲、色彩富有层次变化的树干。

“哇，原来她用尾巴画树干！”

“果然是天才画家，连尾巴都派上了用场！”

虎皮猫刚画好了树干，就引来一片尖叫声。猪在尖叫，狗在尖叫，猫在尖叫，兔子在尖叫，鸡、鸭、鹅也在尖叫……可以想象，这么多的尖叫声汇集在一起是怎样的一种尖叫声！

无论是人，还是动物，只要处在被欣赏的状态中，就都会有极佳的表现，甚至会创造出奇迹。

现在，虎皮猫就是处在这样一种被大家欣赏的状态之中。在这一片尖叫声中，虎皮猫回到调色板上，十分从容地将四只爪子蘸满红色的颜料，然后她顺着画好的树干，在画布上跳起舞来。她在画布上轻盈地跳跃着，四只爪子便在画布上印上了一朵朵红艳艳的梅花。

虎皮猫越跳越欢，画布上的梅花也越来越多。当虎皮猫终于停下舞步时，一树在严寒的冬日里含笑怒放的梅花便画成了。

# 当晚钟响起的时候

## 那天下午

天气：这是我最喜欢的天气。天很蓝，云很白，风很爽。这样的风被称为“金风”，因为风中有金桂飘香。

动物们尖叫的声浪，一浪高过一浪。那幅已经完成的梅花图，被身上长满艺术细胞的猫、狗、猪、兔子，还有鸡、鸭、鹅，围得水泄不通。

我是第一个去给虎皮猫献花的。我嘴里衔着一朵蓝色的矢车菊，拖着一条伤腿，由两只波斯猫架着来到了虎皮猫的身旁。紧接着，给虎皮猫献花的猫便络绎不绝，我早已被挤到了一边。

就在那献花的猫群中，我发现了一个异常熟悉

的身影——我心中的虎皮猫！

此时，我心中的虎皮猫近在咫尺，却又犹如远在天涯。她就在我的视线以内，而我却不能靠近她。偏偏在这时，绿毛龟在充当“花轿”。没有他在我的身边，我真是寸步难行。

幸好绿毛龟离我只有几步远。我连滚带爬、不顾一切地挤到绿毛龟的身边:“我看见虎皮猫了！你快带我去找她！”

“你是说，你看见你心中的虎皮猫了？”受了几场虚惊的绿毛龟已经没有我这么冲动了，“笑猫，你是不是看花眼了？”

“我看得真真切切的，绝对没有看花眼。”我说，“那模样、那气质、那走路的姿势，都和我记忆中的一模一样！”

“可是，你每一次都是这么说的。”

“这一次绝对没错。你要相信我的感觉……咦，虎皮猫呢？”

就在我和绿毛龟说话的这一会儿，我心中的虎皮

猫不见了。

“我们快去找她！”我爬到绿毛龟的背上，“这一次，我们一定要找到她！”

“上哪儿去找呢？”绿毛龟问我。

我也顿时感到眼前一片迷茫，不知道应该上哪儿去找。

这时，有一只波斯猫走过来问我们：“你们在找什么？”

“虎皮猫。”

“那不是虎皮猫吗？”这只英俊的波斯猫说的是红顶别墅里的虎皮猫，“她现在正被一群崇拜者包围着，根本脱不了身。”

“我说的是另外一只虎皮猫，她是来看画展的。”

“今天来的猫太多了。我去帮你们问问。”

过了一会儿，刚才那只波斯猫带来了另一只波斯猫。

“我看见有一只虎皮猫朝西边走了。”

“走了多久？”

“大约十分钟吧。”

“大师，也许我们还追得上！”

绿毛龟驮着我撒腿就往西跑。

翻过一个高高的山坡，便看见一条波浪滚滚的河流横在我们的面前。是过河，还是沿着河边走？我和绿毛龟的意见发生了分歧。绿毛龟认为我们应该过河，因为河对面就是一个村庄。他说：“虎皮猫很有可能就住在河对面的村庄里。”

我却认为我们应该沿着河边走，因为我隐约有一种直觉——虎皮猫没有过河。

河里有一只大白鹅，他好像也看见了我。他一边向前方游着，一边扭过头来看着我。

“问问那只大白鹅吧！”绿毛龟说，“他说过河就过河，他说不过河就不过河。”

在拿不定主意的情况下，这也是个办法。

“你好！”我的脸上露出友好的笑容，“我能请教你一个问题吗？”

“有生以来我还是第一次看见脸上有笑容的猫。”

大白鹅游到岸边，“像你这样出类拔萃的猫，还需要向我请教问题吗？”

我说：“请你告诉我，我现在是该过河，还是不该过河。”

我万万没想到，大白鹅会勃然大怒。

“我生气的理由有两条。”大白鹅的思路非常清晰，“第一，你问我这么简单的问题，是低估了我的智商；第二，你问这样的问题是浪费了我的时间。你看，太阳就要落山了，晚钟就要敲响了。如果我没有听见祈福的钟声，晚上我是无法入睡的。”

“对不起！对不起！”我连忙给大白鹅道歉，“我……”

“好啦，好啦！我接受你的道歉。”大白鹅打断我的话，“你为什么不跟着我一块儿去听祈福的钟声呢？难道你不愿意心想事成吗？”

我当然愿意心想事成。我现在的心愿就是马上找到我心中的虎皮猫。也许，去听听祈福的钟声，真的能帮助我实现心中的愿望。

这一次，我和绿毛龟想到一块儿去了。他也希望我们跟着大白鹅去听祈福的钟声。

我请大白鹅在前面带路。绿毛龟驮着我，跟在大白鹅身后，也下了水。这让大白鹅大吃一惊。

“你坐在一堆花草上，就已经让我吃惊不小了。现在，这堆花草不仅会走路，而且还会游水！这就更让我吃惊了。我在想，你到底是猫，还是妖……”

“其实……”

“其实不管你怎么解释，你都不能否认你是一只不正常的猫。”大白鹅只顾自己说自己的，“我在很远的地方就看见了你身下的这堆花草从山坡上跑了下来。花草又没有脚，怎么会跑呢？你能解释这件不可思议的事情吗？”

为了证明我是猫而不是妖，我必须让大白鹅了解真相。

“其实，你只要把头伸进水中，就会明白这是怎么一回事了。”

大白鹅把头伸进水中，过了一会儿，他又把头从

水里伸了出来：“原来是一只大乌龟。”

“确切地说，是一只巨大的绿毛龟。”

“虽然我没有见过绿毛龟，但也听说过。”大白鹅还是要炫耀自己见多识广，“如果不是这些花迷惑了我，我早就应该看出你是坐在绿毛龟的背上的。”

河水已经被晚霞染红了，随着荡漾的水波，河面上拂来一阵又一阵的香风。

我吸了吸鼻子：“哇，好香！”

“这是金桂飘香。”

我东张西望：“我怎么没有看见桂花？”

大白鹅伸长了脖子，左看看，右瞧瞧：“你看，两岸那些不高的树都是桂花树。我喜欢把桂花叫做金桂，因为桂花是一种很小很小的花，就像藏在树叶间的一粒一粒的金子。如果不仔细看，你是看不见它们的，但它们能散发出很浓很浓的香味儿。”

当——当——

随着荡漾的水波，河面上传来一阵悠扬的钟声。

“听！这就是祈福的钟声。”

我们不再说话。大家都静静地聆听着钟声，在心里默默地许愿。

天上的飞鸟都停歇在树梢，水中的鱼儿都浮到水面，他们也在静静地聆听。在钟声里，他们也在默默地许愿吗?

# 在钟声中寻找钟楼

过几天

天气：今天是二十四节气中的白露。天气明显转凉。夜晚，草叶上的露水是白色的。

接连几个傍晚，绿毛龟都驮着我，沿着那天大白鹅带我们经过的河道一路向前游，去聆听祈福的钟声。除了给我自己祈福，我也为马小跳和杜真子祈福，为好久没见面的地包天和老老鼠祈福，为可爱的雪儿和那帮崇拜她、追求她的波斯猫兄弟祈福，为自卑的虎皮猫祈福……

听雪儿说，自从举办了那次画展以后，在红顶别墅周围流连忘返的猫就逐渐多了起来，他们都是虎

皮猫的崇拜者。

有这么多崇拜者的猫一定不会自卑。我很为虎皮猫感到高兴。

“可是，”雪儿说，“虎皮猫似乎还没有完全从自卑的阴影里走出来。”

“当然。这需要时间。”

“不。虎皮猫需要你。”

“需要我？”我问雪儿，“为什么？”

“我不知道。你自己去问她吧！”雪儿说，“我也有一个问题要问你。为什么在我那么多的崇拜者中，没有你呢？”

“我好像告诉过你，我的心中，早已经有了一只虎皮猫。”

“可是，你已经找了好久，也没找到。”

“我不会放弃的。我一定会找到她。”

“我多么羡慕你心中的那只虎皮猫啊！”雪儿又一次被我感动了，“笑猫哥哥，从今天起，我一定要帮你找到你喜欢的那只虎皮猫。”

我知道，只要雪儿要帮我去寻找，那一群崇拜她的波斯猫兄弟就也会帮我去寻找。

后来，我们去红顶别墅找虎皮猫。果然像雪儿说的那样，在红顶别墅的周围，有许多虎皮猫的崇拜者在那里流连忘返。他们仰望着尖顶上的虎皮猫，可虎皮猫高高在上，对她的崇拜者们视而不见。

“很难想象这就是那只自卑的猫。”我对绿毛龟说，“大师，你说她现在还自卑吗？”

“这就要看你怎么来面对她了。”

就在我正琢磨着大师的话的时候，虎皮猫已不声不响地来到了我的身边：“你终于来了！”

这话是什么意思？什么叫“终于来了”？

“我就知道，总有一天，你也会成为我的崇拜者。”

“你……你误会了……”

我居然结巴起来。我在心里说：“这虎皮猫真的不自卑了，还自信得过了头。”

“误会？”虎皮猫好像感到很惊诧，“那你到这里

来干什么？”

“我很关心你，我是来看你的。”

“你不是夸我是天才画家吗？难道你不喜欢我？”

“我早就告诉过你，我心中已经有喜欢的猫了……”

“可是，你那时还没有遇见我，也不知道我是一只才华出众的猫。”

“不管后来遇见什么样的猫，我都不会变心的。我会永远对我心中的虎皮猫忠诚。”

“我好羡慕你心中的那只虎皮猫啊！现在，她在哪儿？”

“不知道。”我说，“我还在找她。我会一直找下去。”

虎皮猫也一定是被我感动了，她说的话和雪儿说的一样：“笑猫哥哥，我一定要帮你找到你喜欢的那只虎皮猫。”

虎皮猫的崇拜者来自四面八方。虎皮猫来到他们中间，问他们有没有在其他地方见过一只与她长得很像的虎皮猫。

有不少猫都说见过，但他们又说见过的虎皮猫都

是男猫。

红顶别墅里的虎皮猫说:“可是，我要找的虎皮猫是一只女猫。”

后来，虎皮猫干脆说她要找的那只跟她长得很像的女虎皮猫是她的妹妹。于是,她的崇拜者们开始更加尽心竭力地四处寻找。

今天，终于有一只黑花猫跑来告诉虎皮猫:“听说，在一座钟楼里住着一只神秘的猫。每到黄昏时，钟楼的钟声便响起来,人们都说那是祈福的钟声。偶尔有人能看见这只猫在钟楼上，像一个金色的影子那样一闪而过。”

“金色的影子？会不会就是虎皮猫的影子？”绿毛龟若有所思地看着我。

啊,如果在每一个黄昏,真的都是由我心中的虎皮猫敲响了祈福的晚钟,那么这一切就太神奇，也太有戏剧性了!

“我有一种预感……”

我还没有把我的预感说出来，绿毛龟就已经知

道我的预感是什么了："你肯定就是她？"

"隐身在一座钟楼里，每天敲响祈福的晚钟，这很符合她的性格。"

我和绿毛龟都相信，这一次，我们的希望不会落空。只要能听到钟声，我们就能找到钟楼。

傍晚，当钟声再次响起时，我们便开始在钟声里寻找钟楼。

红顶别墅里的虎皮猫去问一只把两只前爪合在胸前，正在钟声里祈福的大黄狗："你知道钟楼在哪里吗？"

"钟楼？什么钟楼？"

"这钟声是从哪儿传来的？"

"不知道。"大黄狗说，"有一天傍晚，突然就响起了钟声。从此以后的每个傍晚，都会响起这样的钟声。可是，谁也不知道这钟声是从哪里传出来的。"

我急忙问大黄狗："你还能记起第一次听见钟声是在什么时候吗？"

"大约是在春天就要结束，夏天就要开始的时候。"

这个时间跟我心中的虎皮猫失踪的时间是吻合

的。我要找到钟楼的心情更加急切了。

我们来到了另外一个村庄。在这里听到的钟声似乎更响亮一些，也就是说，这里离钟楼应该更近一些。

在一户人家的院子里，我们看见了一位白胡子老头儿。他双目微闭，双手合十，嘴里还念念有词。一看就知道，他正在钟声里祈福。像他这么大年纪的老人，一定知道钟楼在哪里。可是，我能听懂人话，他却听不懂猫话呀！

虎皮猫和黑花猫不知什么时候跑到人家屋里去了。现在，他们俩一前一后地出来了："笑猫哥哥，屋

里有一只很老很老的猫，也许他知道钟楼在哪里。”

趁白胡子老头儿还在闭目祈福，绿毛龟驮着我进了屋。在一把古老的太师椅上，有一只昏昏欲睡的老猫。他实在是太老了，老得皮上的毛都快掉光了。

黑花猫开口就叫老猫“老祖宗”。

“老祖宗，你知道钟楼在哪里吗？”

老猫的耳朵已经不灵了：“什么？说大声点儿！”

虎皮猫跳上太师椅，扯起嗓子问道：“钟楼在哪里？”

“钟楼？”听到“钟楼”这两个字，老猫一下子显得年轻了许多，也精神了许多，“我当然知道在哪里。”

“离这里还远吗？”虎皮猫又问。

“不远也不近。”老猫说，“明天，我给你们带路。今晚，让我好好睡一觉。唉，老了，力不从心！”

老猫闭上眼睛，不再理我们。他真的困了。

这时，天黑了，晚钟的余音还在夜空中回荡。白胡子老头儿已回到屋里，房门也被关上了。我们出不去，只好在大箱子后面睡了一夜。

# 钟楼的故事

## 第二天

天气：白露过后，秋雨一场接着一场，气温明显地降了下来。尽管男人们还穿着T恤衫，女人们还穿着薄纱裙，但在他们的脸上已经看不见汗水了。

那只老猫真的很老了。晚上睡觉时，他的呼噜打得惊天动地，吵得我们几乎一夜未眠。

黑乎乎的老屋没有窗户，也不知道天到底亮了没有。

“其实，天已经亮了。”绿毛龟说，“雄鸡叫过三遍了。”

在城市里生活得太久了，我连“雄鸡一唱天下白”这样的生活常识都忘记了。

我们都想马上上路。可是，老猫还睡得沉沉的，去找钟楼还得他带路呢。

绿毛龟说："我看，他一时半会儿还醒不了。你们干脆把他弄到我的背上来吧！"

我把身子向外挪了挪，虎皮猫和黑花猫连拖带拉地把呼呼大睡的老猫弄到了绿毛龟的背上，和我紧挨在一起。

白胡子老头儿穿着一身白衣白裤，在院子里打太极拳，他的心思全在那一招一式上，一点儿也没发现我们浩浩荡荡地出了院门。

天上洒着小雨点儿。白露过后，秋雨就一场接着一场。

老猫醒了，也许是小雨点儿把他淋醒的。

"我怎么会在这里？"躺在绿毛龟背上的老猫睁开了眼睛，"我怎么会躺在一堆青草里？"

"对不起，老祖宗！"黑花猫连忙给老猫道歉，"刚才你睡得正香，我们不忍心叫醒你，但我们又急着去找钟楼，所以……"

“所以就把我绑架出来了？”老猫气呼呼地坐了起来。

“对不起，老祖宗！”

“我不接受你们的道歉，也不会原谅你们！”

我们不明白老猫为什么生这么大的气。我们还以为老猫醒来时发现自己躺在一堆青草里，会觉得很好玩儿。

“你们在做这件事情的时候，想到过一个上了百岁的老人没有？他和我相依为命,每天朝夕相处。今天早晨，如果他突然发现我失踪了，那后果会是什么？”

我们这才意识到这件事的后果会不堪设想。

我们后悔莫及。唉,做什么事情,都不能只想着自己。

绿毛龟撒腿就往老猫的家跑。只有我心里最明白，虽然绿毛龟什么都没说，但他一定比谁都更内疚，因为他很有智慧，所以他更知道反省。

我们回到老屋时，白胡子老头儿正在到处找老

猫。老人急得双手不停地颤抖。如果老猫不及时出现的话，老人很可能会中风。

老猫叫我们在院子外面等着他。他和白胡子老头儿一起吃了早饭。不知道老猫和老人是怎样交流的，也许在一起生活的时间长了，彼此间就能心意相通。老猫出来时，脖子上挂着一个袋子，袋子里装满了鱼干儿，仿佛老人知道他要出远门似的。

老猫重新坐在了绿毛龟的背上，为我们指引着前行的方向。

雨还在下。路过一个水塘时，只见泛着涟漪的水面上还有几片残败的荷叶，这勾起了我对夏天的回忆。我能想象得出，在夏日，这个水塘里一定挤满了玉盘一样的荷叶，荷叶间一定有婀娜多姿的荷花在随风摇曳……

黑花猫去摘了一片还算完整但已经发黄的荷叶，把荷叶举在老猫的头顶上当雨伞。

一路上，老猫给我们讲了好多关于钟楼的事情。

“我的童年就是伴着钟楼的钟声度过的。”老猫回

忆着，“那时候，钟楼矗立在一道河湾旁，钟楼里住着一个敲钟人。每天傍晚，敲钟人都会准时把钟敲响。钟声能传到很远的地方，钟声也能把祝福传递给很多人、很多动物。当然，这里面也包括我和我的主人，所以我能长寿，我的主人也能长寿。”

“后来呢？”

“不要插嘴！我讲到哪儿了？”老猫闭着眼睛想了一会儿，“那敲钟人还养了几只猫。我经常去找他们玩

儿，我甚至还爱上了其中的一只虎皮猫……”

虎皮猫忍不住又插嘴了："又是虎皮猫？”

“对。那只虎皮猫和你长得很像，几乎一模一样。”

“后来呢？”

“后来，敲钟人去世了，那几只猫也从此消失了。我的初恋就这样结束了。钟楼的钟声也从此不再响起。再后来，钟楼的周围挖了一个巨大的鱼塘，大家也渐渐地把钟楼忘了，一忘就是好多年。就在今年春夏之交的时候，大家又听见了久违的钟声。我一直想去钟楼看看，可是我实在太老了，刚走了一半的路便再也走不动了。”

我静静地坐在绿毛龟的背上，听身旁的老猫讲着钟楼的故事。不知不觉地，我们已经走了整整一个上午的路。虎皮猫和黑花猫跟在我们后面，他们俩没有继续听老猫讲钟楼的故事，他们俩似乎有说不完的悄悄话。这一切，我看在眼里，喜在心里。在帮助我的过程中，虎皮猫逐渐走出了自卑的阴影，她现在自信又快乐。

“你不用担心他们。”老猫的话题也转移到了虎皮猫和黑花猫的身上，“恋爱中的猫，无论走多远的路，都不会觉得累。”

走到一大片果树林的尽头，就看到了那个后来挖的鱼塘。举目远眺，可以看到耸立在鱼塘中央的钟楼。我没想到钟楼有那么高。当初修建钟楼的人们一定想让钟声传得很远很远，所以才把钟楼建得很高很高。

古老的钟楼，巍峨美丽，还有一点历史的沧桑感。远远望去，我所看见的，是那口巨大的钟，就吊在钟楼的顶上；我所看不见的，则是隐藏在钟楼里的那些古老的秘密。

“我们就在这里等吧！”黑花猫说，“等到钟声响起的时候，我们就能看见那个金色的影子了。”

# 金色的影子

## 第二天傍晚

天气：傍晚时分，又下起了小雨。雨中的天色反而比下午更亮堂了一些，天空中甚至还出现了几抹淡淡的橘黄。在黑夜降临之前，那几抹橘黄又渐渐浓缩成几丝耀眼的虾子红。

整个下午，我们都呆在果树林里，眼睛盯着钟楼，也不敢说话。可钟楼里始终没有一丝一毫的动静。一直到下午四五点钟，才有几个放了学的孩子上了泊在鱼塘边的一艘小船，他们把小船径直朝钟楼划去。

“他们要干什么？”

“难道他们要上钟楼去玩儿？”

虎皮猫和黑花猫不解地嘀咕着。

小船划到了钟楼下面，也没见那几个孩子下船。小

船只在那里停留了一会儿，便又返回鱼塘边。孩子们上了岸，小船依旧泊在原来的地方。鱼塘周围又恢复了刚才的宁静。

“奇怪了！”虎皮猫说，“他们为什么不到钟楼里去呢？”

黑花猫说：“我好像看见他们放了一个篮子在钟楼下面。”

我也看见了。现在，我很想知道那个篮子里装的到底是什么。

绿毛龟驮着我下了水，向钟楼游去。

钟楼下面，星星点点地盛开着白色的和蓝色的野菊花。那个篮子就藏在花丛里。绿毛龟爬到了篮子旁边，我看见篮子里装的是一个个用芭蕉叶包起来的、像小孩子拳头一样大小的东西。我凑上去用鼻子闻了闻，闻见了很浓郁的鱼香味儿。我从篮子里拿起一个放在绿毛龟的背上，然后我们迅速地离开了。

回到果树林，我急忙剥开芭蕉叶，发现里面原来是一个用鱼干拌上白米饭做成的饭团。

“我们猫最喜欢吃的食物就是鱼干拌白米饭。”老猫说，“可以肯定，那钟楼里面确实住着一只猫。”

虎皮猫说:“但愿这只猫就是笑猫哥哥要找的虎皮猫。”

虎皮猫说出了我的心里话。

又下雨了。一滴滴小雨点儿落在鱼塘的水面上,在水面上点出了无数的小圆圈。天色似乎比刚才还亮了一些。钟楼背后，亮起了几抹淡淡的橘黄。

当！当！当——

祈福的钟声响起来了。雨还在下，可水面上无数的小圆圈已经被一个巨大的圆圈取代。那是一个以钟楼为圆心、随着钟声的声波扩张开去的圆圈。钟声每响一下，便又有一个巨大的圆圈在水面上荡漾开去。

难怪这钟声如此悠扬，能传到很远很远的地方。

“金色的影子！”黑花猫立起身子,“笑猫哥哥,快看！”

钟楼顶上，果然有一个金色的影子。随着一声声钟声，那个影子一上一下地在空中画出一道金色的弧

线。

毫无疑问，正是这个“金色的影子”敲响了祈福的晚钟。

“笑猫哥哥，她是不是你心中的虎皮猫？”

那“金色的影子”一直没停下来，所以我不能回答虎皮猫的这个问题。

“笑猫，我为你祈福！”

老猫双目微闭，两只前爪合在胸前，在钟声里为我祈福。

“笑猫哥哥，我们也为你祈福！”

虎皮猫和黑花猫也双目微闭，两只前爪合在胸前，在钟声里为我祈福。

绿毛龟的头从壳里伸出来，在雨中昂得高高的。他也在钟声里为我祈福吗？

在钟声里，我也开始为自己祈福：但愿那“金色的影子”就是我心中的虎皮猫。

悠扬的钟声不绝于耳。钟楼背后那几抹淡淡的橘黄，渐渐浓缩成了几丝耀眼的虾子红。

这是黑夜降临前天空所呈现出的最后的辉煌。

那几丝耀眼的虾子红转瞬即逝。黑夜降临了，钟声也戛然而止。再看钟楼顶上，那个金色的影子也不见了。

钟楼、鱼塘、果树林，还有我们，全都被包裹在黑乎乎的夜色中。

# 她就是我心中的虎皮猫

## 第三天

天气：这是一个晴朗的秋日。像蓝宝石一样的天空中，没有一丝云彩。是风把云彩吹散了，还是飞鸟把云彩叼走了？

一看那灿烂的霞光，就知道今天是一个晴朗的日子。满天的朝霞倒映在鱼塘的水面上。水面上那座钟楼的倒影也像被镀上了一层金子，在绚丽的水面上轻轻地摇晃。

直到现在，我们仍然不能确定那敲钟的“金色的影子”是不是我心中的虎皮猫。

“我有一个办法！”黑花猫说，“让绿毛龟把我驮到钟楼那里去，我上钟楼去看看。”

虎皮猫说："你又不认识那只猫。"

"她不是跟你长得一模一样吗？"

"那也不见得就是笑猫心中的虎皮猫。"

"是呀！虎皮猫到处都是，但笑猫心中的虎皮猫是唯一的。只有笑猫自己用心去感受，才可以判断出钟楼里的那只猫是不是我们要找的虎皮猫。"

绿毛龟轻易不说话，但只要他一开口，说的就肯定是金玉良言。

我问绿毛龟："大师，你有好办法吗？"

"现在是你高调亮相的时候了！"绿毛龟说，"我驮着你到钟楼里的那只猫能看得见的地方游，你要尽量把你的个性特点显露出来。如果那只猫真是你心中的虎皮猫，她一定会主动出来和你相见的。"

绿毛龟说得合情合理。我决定就照他说的办。

"笑猫，我们等着你的好消息！"

老猫、虎皮猫和黑花猫一一和我告别。

绿毛龟驮着我下了水。

绿毛龟游到了水面上钟楼倒影的楼顶处，我想，这里应该就是从钟楼里最容易看见我的地方了。我努力撑起身子，放声大笑，想让钟楼里的那只猫看见我的笑脸。

绿毛龟一直在鱼塘里游来游去，我不停地放声大笑，我的笑声在水面上久久地回荡。钟楼里的猫即使看不见我，也应该能听见我的笑声。

然而，仍然不见钟楼里面有丝毫动静。

“难道那只猫没在钟楼里？”我隐隐有些失望。

“我们去看看那些鱼香饭团还在不在。”绿毛龟一边说，一边驮着我来到钟楼下面。在花丛中，我们找到了那个装饭团的篮子。篮子里面还有用芭蕉叶包裹着的饭团，但比昨天下午看见的似乎少了一些。

“少了的饭团很有可能是被那只猫吃掉了，”绿毛龟分析道，“所以那只猫很可能还在钟楼里。”

刚才，我一直把头埋在篮子里察看那些饭团，所以丝毫没有发现一只虎皮猫已经悄然无声地来到了我们的身边。就在她和我对视的那一瞬间，我便认定了她就是我心中的虎皮猫，因为她看我的眼神依然

是那么温柔，那么深情。

“真的是你吗？”我悲喜交集，脸上在笑，心里却在哭，“你让我找得好苦！”

“笑猫，你在说什么？你的腿受伤了？”

我说的话，虎皮猫居然没听见？也许，是因为她不好意思，所以故意把话岔开了。

“有一次，我到一座高烟囱上去找你，没想到却从烟囱上面摔了下来，把腿摔断了。不过没关系，现在上着夹板，很快就会好的。”

“你疼吗？你一定很疼。”虎皮猫温柔地、一下一下地舔着我还缠着绷带的腿，“你是怎么受伤的？”

我刚才不是说过了吗？虎皮猫怎么又问这个问题？难道她是因为见到我太激动，所以变得思维混乱，语无伦次？而且，我发现她说话的声音比以前大多了，但不说话时，她的举止还是像以前那样优雅而高贵。

虎皮猫在医院里神秘失踪后，又去了哪里？她的每一分、每一秒是怎么度过的？这些我都想知道。

“离开医院后，你都去了哪些地方？”

虎皮猫舔着我受伤的腿，没有回答我。

我继续问道："你怎么来到这里的？"

虎皮猫还是不回答我。

我捧起虎皮猫的脸："我在问你呢。你为什么不回答我？"

虎皮猫看着我，一脸茫然。

"笑猫，我有一种不祥的感觉——"绿毛龟突然把头从壳里伸了出来，"虎皮猫的耳朵出问题了。"

"你说什么？"

"我是说，虎皮猫聋了，她什么也听不见了。"

这真是晴天霹雳！我历尽千辛万苦，好不容易才找到了虎皮猫，但她的耳朵却聋了。

"亲爱的，你能听见我说话吗？"

虎皮猫怔怔地看着我。她真的聋了。

"她怎么会聋呢？"我的心都要碎了，"我和她分别之前，她还是好好的呀！"

"如果我的分析没错的话，那么应该是钟声把虎皮猫的耳朵震聋的。"绿毛龟说，"你想想，果树林和

钟楼之间隔着一个那么大的鱼塘，可是昨天我们在果树林里听到从钟楼传来的钟声时，仍然感到震耳欲聋。虎皮猫天天在钟楼敲钟，她的耳朵很可能早就被钟声震聋了。”

善良的虎皮猫啊！她每天都为大家敲响祈福的晚钟，为了让钟声传得更远，给更多的人、更多的动物送去祝福，她必须把钟敲得更响一些。结果，钟声却把她的耳朵震聋了。

我要带她离开这里。

我一定要让虎皮猫重新听见声音！

# 钟楼里敲钟的猫

## 又一天

天气：我看见了这个秋天的第一片落叶旋转着落在地上。虽然这片树叶还没有发黄，但它还是被秋风悄然吹落。

那天，我真的想立刻带虎皮猫离开钟楼。我相信马小跳的裴帆哥哥一定能治好虎皮猫的耳朵，让她重新听见声音。可是，虎皮猫并不愿意跟我走，她说她走了以后，大家就再也听不到祈福的钟声了。

看得出来，虎皮猫对我还是一往情深。她最后看我的那一眼，让我真正明白了什么叫做“依依不舍”。然而，她还是转身跑进了钟楼，留给我一个坚定的背影。

“唉，这是一只多么超凡脱俗的猫啊！”绿毛龟长长地叹了一口气，“她不仅有美丽的外貌和高贵的仪态，最重要的是，她的心中有信念。”

我明白绿毛龟所说的虎皮猫“心中的信念”是什么。

那天在钟楼下面见到虎皮猫时，我最想知道的是虎皮猫为什么会突然离开裴帆哥哥的医院。我更想知道为什么她会来到钟楼,天天敲钟。尽管我问这些问题时,虎皮猫因为听不见而没有回答我,但是后来我把她对我说的所有的话梳理了一遍，还是终于知道了事情的来龙去脉。

原来，虎皮猫的妈妈就是当年钟楼里的敲钟人养的一只小猫。敲钟人去世后,虎皮猫的妈妈跟着虎皮猫的爸爸去了翠湖公园。但是,虎皮猫的妈妈从来没有忘记过钟楼和从钟楼里传出的钟声，她知道钟声对那些习惯了在钟声里祈福的人们意味着什么。虎皮猫的妈妈生前有一个最大的愿望，那就是再回到钟楼里，在有落日的黄昏静静地聆听那悠扬的钟

声，在钟声里为她的女儿祈福。

虎皮猫的妈妈最终没能实现自己的愿望。

长大以后的虎皮猫经常在翠湖公园的塔顶上眺望，寻找着远方的那座钟楼。傍晚，她也常常在塔顶上聆听，捕捉着从远方传来的钟声。

后来，在裴帆哥哥的医院里，虎皮猫听见了京巴狗地包天告诉我的那些话，知道了有人在翠湖公园的塔顶上塑了一只金猫来取代她，还知道了公园里形形色色的猫所做的那些荒唐的事情。虎皮猫厌倦了，彻底地厌倦了。她想远离那些庸俗的猫、庸俗的事，远离翠湖公园这个是非之地。

离开裴帆哥哥的宠物医院后，虎皮猫便踏上了寻找钟楼的旅程。她完全是凭着她妈妈给她讲的那些细节找到了钟楼的。可是现在，钟楼的四周都被挖成了鱼塘，人们已经很多年没听到钟声了。

这么多年了，没有人走进过钟楼，因为钟楼里住满了蝙蝠。每到傍晚时分，成千上万的蝙蝠就从钟楼里飞出来，黑压压的一大片，如乌云压顶，被人们视

为不祥之物。在人们的心中，钟楼也成了令人感到极其恐怖的不祥之地。

虎皮猫要做的第一件事情，就是把钟楼里的蝙蝠全部驱逐出去。可是，蝙蝠太多了，他们密密麻麻地倒挂在横七竖八的粗绳上。虎皮猫不明白钟楼里为什么有那么多粗绳。她决定先把这些绳子扯断。

虎皮猫纵身一跳，拉住其中最粗的一根绳子。没想到，钟楼里随即发出了一声巨响！原来，钟楼里的大钟被敲响了！

成千上万的蝙蝠争先恐后地飞出了钟楼。

虎皮猫吊在那根粗绳子上，就像荡秋千一样地来回荡着。她每荡一下，大钟就被敲响一次。

钟声响彻云霄。蝙蝠们魂飞魄散，被钟声赶进了深山老林。

从此以后，每天傍晚，虎皮猫便吊在钟绳上荡秋千，让钟声传到很远的地方，让听到钟声的人们又恢复了在钟声里祈福的习惯。

渐渐地，人们知道了在钟楼里敲钟的是一只猫。

但是，没有谁见过这只猫，只是在钟声响起的时候，人们能远远地看见钟楼顶上的吊钟下，有一个金色的影子在晃动。

人们开始给钟楼里的虎皮猫送来吃的东西，以此表达他们感恩的心。他们划着小船，把食物放在钟楼下面的花丛里，然后悄悄离去。

生活在钟楼的这些日子，让虎皮猫觉得宁静而幸福。我不禁扪心自问:“如果虎皮猫真的跟着我离开钟楼，每天傍晚她也不再敲响祈福的晚钟，那么就算她和我日夜相伴，就算我让她的耳朵重新听见了声音，可是在她的心里还有那份宁静、那份幸福吗？”

在以后的几天里，我都默默地守护在虎皮猫的身边。傍晚，她敲响晚钟时，我就在钟声里为她，也为我自己祈福：

第一愿，愿虎皮猫内心里的那份宁静永远，那份幸福永远；

第二愿，愿虎皮猫和我永不分离；

第三愿，愿虎皮猫的耳朵能重新听见声音！

尽管虎皮猫不会离开钟楼，但我仍然没有放弃让她的耳朵重新听见声音的希望。

我期待着奇迹发生。

杨红樱
记忆的相册

# 生命小战士

Shengming Xiao Zhanshi

2006年5月，我最新创作的《笑猫日记》出版了。在我动身前往深圳参加这套新书的首发式的前一天，我得知了住在成都市儿童医院的一个只有三岁的白血病患儿廖先成的情况：他的妈妈是一位精神病患者，他的爸爸是一位种地的农民，他们一家无法负担急需的治疗费用，准备放弃医治。

我急匆匆地赶到医院，给小先成送去了这笔急需的治疗费用和一个蓝色的绒绒熊。当我见到病床上这个可怜的孩子时，他已经奄奄一息。凝视着他那双漂亮的大眼睛，我感到格外震惊。我难以相信这是一个三岁孩子的眼睛，因为在这双眼睛里有太多的痛苦和忧郁。

一个多月以后，我从外地回到成都，再次去儿童医院看望了小先成。让我惊喜的是小先成居然能站起来，而且还长胖了。他手上拿着我的一张照片，他看看照片，又看看我，认出了我就是照片上的“杨阿姨”。上次送给他的那只蓝色的绒绒熊，也已成了他在病床上片刻不离的小伙伴。

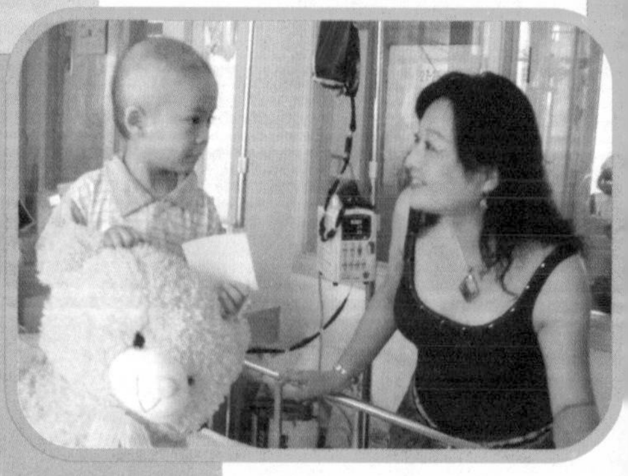

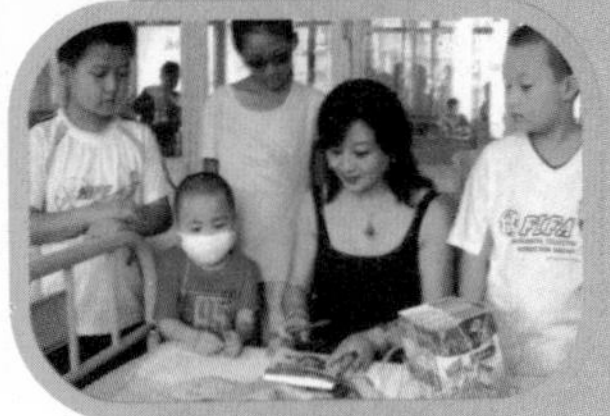

在医院的病房里，还住着二十几个白血病患儿，其中有不少孩子都是我的"铁杆小书迷"。他们在病房里自编自演的"马小跳故事剧"《坚强的石头》，让我看到了他们渴望活下去并且相信自己能战胜病魔的顽强精神，所以当我和接力出版社把义卖《淘气包马小跳系列》图书的10万元书款捐赠给需要救助的白血病患儿时，我们称他们为"生命小战士"。在捐赠现场，这些可爱的白血病患儿们唱起了《感恩的心》。

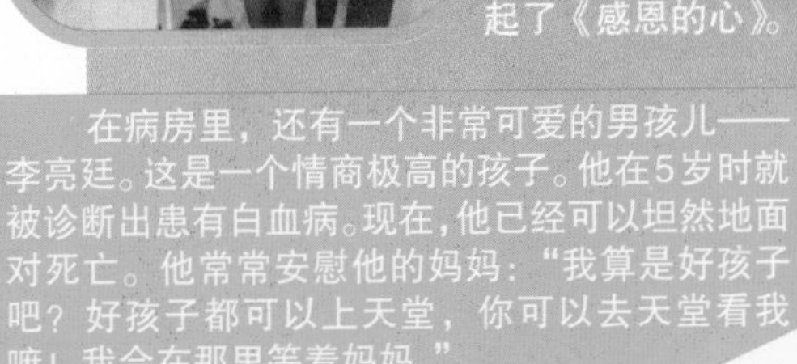

这是我十分喜欢的一张照片。和我在一起的小女孩也是一个白血病患儿。在她身上，我们看到了生命的美丽和希望。

在病房里，还有一个非常可爱的男孩儿——李亮廷。这是一个情商极高的孩子。他在5岁时就被诊断出患有白血病。现在，他已经可以坦然地面对死亡。他常常安慰他的妈妈："我算是好孩子吧？好孩子都可以上天堂，你可以去天堂看我嘛！我会在那里等着妈妈。"

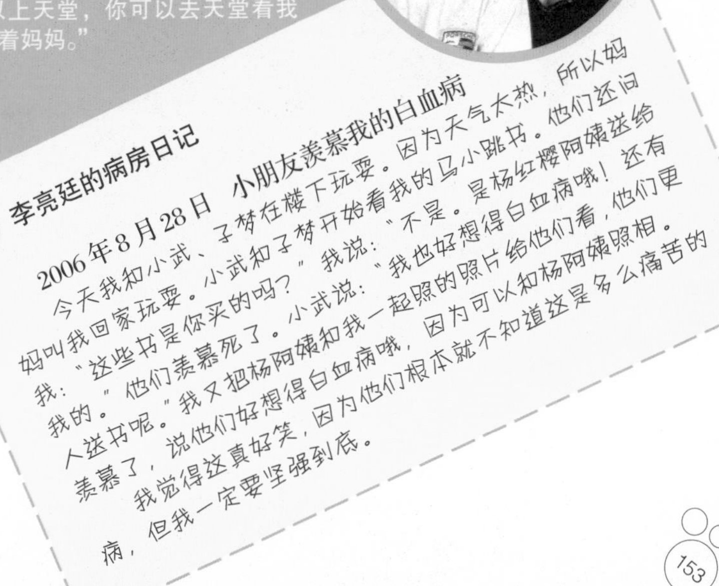

## 李亮廷的病房日记

2006年8月28日　小朋友羡慕我的白血病

今天我和小武、子梦在楼下玩耍。因为天气太热，所以妈妈叫我回家玩耍。小武和子梦开始看我的马小跳书。他们还问我："这些书是你买的吗？"我说："不是。是杨红樱阿姨送给我的。"他们羡慕死了。小武说："我也好想得白血病哦！还有人送书呢。"我又把杨阿姨和我一起照的照片给他们看，他们更羡慕了，说他们好想得白血病哦，因为可以和杨阿姨照相。

我觉得这真好笑，因为他们根本就不知道这是多么痛苦的病，但我一定要坚强到底。

# 成都，这座浪漫而温情的城市

Chengdu Zhe Zuo Langman er Wenqing de Chengshi

2006年12月30日晚，这是这个冬天成都最冷的一个冬夜。寒风中飘着密集的细雨，一群群头戴小红帽、手捧红蜡烛的志愿者涌上街头，为成都的白血病患儿募集善款。

那几个患白血病的“生命小战士”带着连夜赶制的感恩卡也来到了街头，手中的红蜡烛让他们在寒冷的冬夜感到了温暖。有一张感恩卡上这样写道：“您的关爱让我幸福，我要勇敢地活下去。”

看着这几个在寒风中依然笑得灿烂的孩子，我永远铭记住了这个美丽又浪漫的“成都慈善夜”。

虽然获奖无数，但是最爱的是这个奖——"读者最喜爱的作家"。

亲爱的杨红樱阿姨，我们读者都非常喜欢看您写的书。我现在最喜欢看《笑猫日记》，那三本我都看过了。《塔顶上的猫》被我翻来覆去地看了七八遍了，书里面有许多优美的词句和深刻的道理。这本书还被同学们争着抢着借去过好多次。可是，看到带有省略号的结尾时，我们都有一种同感：很同情笑猫。有个同学说："唉，最后应该让笑猫和虎皮猫在一起。"我和我的同学们都希望杨阿姨能再写一本《塔顶上的猫》的续集，我们都很希望笑猫和虎皮猫能够在一起。那真是太美好了！

山东省临沂市兰山区银雀山小学六年级四班　赵志敏

和沈阳的小书迷交流。

杨红樱阿姨，我们全家都喜欢你写的书。读了你写的书，我记了整整四本读书笔记，写了三本读后感，还积累了五本好词、好句和好段落。这些对我的作文大有帮助。这学期，我考了高分，如果不积累，那我一定不会考得这么好。多亏了这些好词、好句！

*上海市浦东区德一小学　杨嘉润*

杨红樱阿姨，您写的《笑猫日记》我已经全部读完。笑猫是一只通人性、有感情的猫。有时读着读着，书中的笑猫仿佛已变成了人的模样。这套书写得好生动、好优美！我好羡慕杜真子，她的宠物是一只如此完美的猫。《笑猫日记》不但有一个个开心好玩儿的故事，还让我们懂得了真爱，进一步了解了动物与人类之间的友谊。

*北京小读者　王紫薇*

杨红樱同志，你长年勤奋写作，踏实稳重，为我以及全国的小读者们写出了许多童话和小说。特此表扬！

*广东省汕头市“铁杆樱桃”　翁彤*

和成都郫县花园小学的师生在一起。

**图书在版编目（CIP）数据**

虎皮猫，你在哪里 / 杨红樱著.—济南：明天出版社，2007.4（2015.2 重印）

（笑猫日记）

ISBN 978-7-5332-5331-8

Ⅰ.虎… Ⅱ.杨… Ⅲ.儿童文学－童话－中国－当代 Ⅳ.I287.45

中国版本图书馆CIP数据核字(2007)第031889号

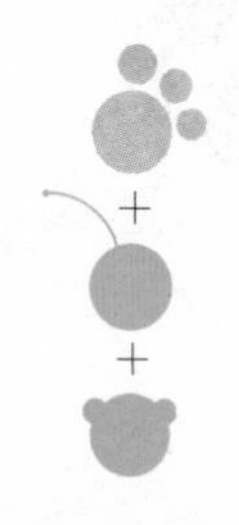

**笑猫日记**

*虎皮猫，你在哪里*

明天出版社出版发行

（济南市经九路胜利大街）

http://www.sdpress.com.cn

http://www.tomorrowpub.com

各地新华书店经销

山东临沂新华印刷物流集团有限责任公司印刷

145×187毫米 32开 5.25印张 8插页 70千字

2007年4月第1版 2015年2月第36次印刷

印数：1620001－1700000

ISBN 978-7-5332-5331-8

**定价：15.00元**